CONVERSATIONAL DUTCH DIALOGUES

Over 100 Dutch Conversations and Short Stories

Easy Dutch Dialogues

www.LingoMastery.com

CONTENTS

INTRODUCTION

So, you want to learn Dutch, beloved reader? Excellent — if you've purchased this book then you're already well on your way to doing so. Dutch is the official language in The Netherlands, Belgium and Surinam. About 24 million people consider it to be their mother tongue, while another 5 million people do speak it as a second language. With this book you can make this number bigger by at least one point!

And most importantly, you can do it in a fun and really efficient way. If there's something we know for sure after years in the language learning world, it is that many students choose — or are provided with — the wrong means of study, with professors giving them boring textbooks full of rules they'll never learn or need in a real world situation; while others may overwhelm them with reading material that only serves to make them feel uncomfortable and doubtful of their own skills and level as a Dutch learner.

Our goal with this book is to allow you, the reader, to encounter useful, entertaining conversations that adapt very well into dozens of real life situations that you can and certainly *will* encounter in the Dutch-speaking world, giving you a chance to fend for yourself when you come across them!

Vocabulary is crucial to learning *any* new language, and the conversations in this book will *guarantee* you pick up plenty of it and watch how it is applied to real life.

What this book is about and how it works:

This book will ensure you practice your conversational skills in Dutch through the use of **one hundred and five examples of conversations,** written in both Dutch *and* English to allow you to fully understand what's going on in each and every one of them.

Each new chapter is an entirely new, fresh conversation between two people of an everyday situation you may tackle sooner or later. You'll be able to observe how to handle yourself when it comes to checking in at a hotel, asking for directions, meeting an old friend or ordering food at a restaurant, among many others.

If you want to ensure proper understanding of the story, we recommend you read the story in both languages and follow the narrative in a way that gives you the chance to cross-reference what's going on in Dutch by checking out the story in clear, concise English.

How was this book created?

The dialogues you'll find inside is the result of collaboration between both English and Dutch native speakers. Once written in natural English the stories were translated into Dutch and we feel it crucial to give a brief explanation of how it was done.

Since we want you to sound natural, we avoided a word for word translation, so you may come across situations when

- Translations are shorter or longer than the original;

- Some translations are descriptive. For example, there's no way in Dutch to say "a red-eye flight" in two words;

- One and the same word is translated differently in different sentences.

For this reason, it might be a good idea to learn whole phrases sometimes, rather than separate words.

So, wake up your inner linguist, analyze, make your own discoveries and get amazed at how different languages work!

Now you know what it is the book will provide you... what are the best ways to use it?

Tips and recommendations for readers of Conversational Dutch Dialogues:

This book is certainly easy to pick up and use as many times as you need to, but there are effective ways of applying it to your learning that will get the most out of it. Remember, being effective will not only increase the amount you learn, but also decrease the time you need to spend on doing so!

So, what should you do to improve your learning with **Conversational Dutch Dialogues?**

Well, you can always:

1. Roleplay these conversations, whether it's alone or with a friend — Pretending to actually setting up a bank account with a friend may actually do much more for your knowledge of Dutch than any lesson will. This book provides you with plenty of material so go ahead and act! Your pronunciation, fluency and confidence will all benefit from it!
2. Look up the words you don't understand — there will always be vocabulary and specific terms you may not get and which aren't translated exactly word-for-word (for our purposes of making the conversation realistic in both languages), so you may need a dictionary. Don't feel upset or ashamed of jotting down those words you don't understand for a quick search on the internet later on!
3. Make your own conversations! — Once you're done with this book, pick any conversation from the *hundred and five* examples you have and adapt it to your own version. Why not make it so that the

receptionist of the hotel *didn't* have rooms? Or maybe the friends meeting each other *weren't* so friendly, eh? Find something you like and create something new!

4. Don't be afraid to look for more conversations once you've finished reading and practicing with this book — Only through practice can you reach perfection, or at least as closest as you can get to it!

Well that's all we had to tell you, reader. Now go ahead and show the world you can handle anything! Work hard and keep it up, and before long you'll breeze past any Dutch lesson.

Believe in yourself, it's all you need to achieve even the impossible!

Good luck!

1

EEN MAALTIJD BESTELLEN

-

ORDERING DINNER (A1)

Ober: Goedenavond mevrouw.

Amira: Goedenavond. Mag ik de menukaart?

Ober: Natuurlijk. Wilt u al iets drinken?

Amira: Gewoon water, alstublieft.

Ober: Oké, dan is hier de menukaart. Ik kom zo terug met uw water.

Amira: Bedankt.

Ober: Alstublieft. Heeft u een keuze kunnen maken?

Amira: Nee, ik heb nog een paar minuten nodig.

Ober: Geen probleem, neem gerust uw tijd.

(Drie minuten later ...)

Ober: Heeft u nog meer tijd nodig om te beslissen?

Amira: Nee hoor, ik heb mijn keuze gemaakt.

Ober: Perfect. Wat wilt u bestellen?

Amira: Ik wil graag de groene lentesalade met kip.

Ober: Uiteraard. De salade wordt met een soep geserveerd. Wilt u de tomaten-crèmesoep of de minestronesoep?

Amira: Uh, de tomaten-crèmesoep.

Ober: Goede keuze. Wilt u nog iets anders bestellen?

Amira: Nee, dat was het.

Ober: In orde!

(Vijf minuten later ...)

Ober: Kijkt u eens, hier is uw soep en uw salade.

Amira: Dankuwel.

Ober: Geen dank. Laat me weten als u nog iets anders wil.

Amira: Oké.

(Vijftien minuten later ...)

Ober: En heeft het gesmaakt?

Amira: Jazeker!

Ober: Wilt u ook de dessertkaart zien?

Amira: Nee, bedankt. Alleen de rekening, alstublieft.

Ober: Uiteraard, hier is de rekening.

Amira: Hartelijk dank!

ORDERING DINNER

Waiter: Hi, how are you?

Amira: I'm good, thanks. How are you?

Waiter: I'm great. Thanks for asking. What would you like to drink?

Amira: Just water, please.

Waiter: Okay. Here is the menu. I'll be right back with your water.

Amira: Thanks.

Waiter: Here you go. Are you ready to order?

Amira: No, I need a couple more minutes.

Waiter: No problem. Take your time.

(Three minutes later...)

Waiter: Do you need more time?

Amira: No, I'm ready.

Waiter: Perfect. What would you like?

Amira: Can I have the spring greens salad with chicken?

Waiter: Sure. The salad comes with a soup. Would you like creamy tomato or minestrone?

Amira: Umm, creamy tomato.

Waiter: Good choice. Would you like anything else?

Amira: No, that's it.

Waiter: Great!

(Five minutes later...)

Waiter: All right, here is your soup and salad.

Amira: Thank you.

Waiter: No problem. Let me know if you need anything else.

Amira: Okay.

(Fifteen minutes later...)

Waiter: Are you done with your meal?

Amira: Yep!

Waiter: Would you like to see the dessert menu?

Amira: No, thanks. Just the check, please.

Waiter: Of course. Here it is.

Amira: Thank you!

2

IJSSMAKEN

-

ICE CREAM FLAVORS (A1)

Jerry: Hallo, welkom!

Robin: Hoi.

Jerry: Wil je een ijsje proberen?

Robin: Ja, maar ik kan niet kiezen.

Jerry: Heb je een favoriete smaak ijs?

Robin: Jazeker, ik hou van chocolade, aardbeien en vanille.

Jerry: Wil je dan ons chocolade-, aardbeien- en vanilleijs proberen?

Robin: Ja, graag. Dankjewel!

Jerry: Oké, dit is het chocoladeijs.

Robin: Dank je.

Jerry: Wat denk je ervan?

Robin: Ik vind deze te zoet. Zou ik hierna de vanille mogen proberen?

Jerry: Natuurlijk. Kijk eens aan.

Robin: Bedankt.

Jerry: Vind je de vanille lekker?

Robin: Ja, ik vind deze lekkerder dan de chocolade.

Jerry: Wil je ook het aardbeienijs proberen?

Robin: Ja, graag. Dankjewel.

Jerry: Kijk hier eens. Het aardbeienijs is het lievelingsijs van onze klanten.

Robin: Mmm! Deze is heerlijk!

Jerry: Geweldig! Welke ijssmaak wil je?

Robin: Doe mij die aardbeiensmaak maar!

Jerry: Wil je het in een hoorntje of een bekertje?

Robin: Liever een hoorntje, alstublieft. Hoeveel kost dat?

Jerry: Dat wordt dan drie vijftig.

Robin: Alsjeblieft.

Jerry: Dankjewel en geniet ervan!

ICE CREAM FLAVORS

Jerry: Hello and welcome!

Robin: Hi.

Jerry: Would you like to try some ice cream?

Robin: Yes, but I don't know which one to get.

Jerry: Do you have a favorite ice cream flavor?

Robin: Yes, I do. I like chocolate, strawberry, and vanilla.

Jerry: Would you like to taste our chocolate, strawberry, and vanilla ice creams?

Robin: Yes, please. Thank you!

Jerry: Okay. Here is the chocolate one.

Robin: Thank you.

Jerry: What do you think?

Robin: I think it's too sweet. May I try the vanilla next?

Jerry: Sure. Here you go.

Robin: Thank you.

Jerry: Do you like the vanilla?

Robin: Yes. I like it more than the chocolate.

Jerry: Would you like to try the strawberry ice cream?

Robin: Yes, I would. Thank you.

Jerry: Here you go. The strawberry flavor is a favorite with our customers.

Robin: Mmm! This one is delicious!

Jerry: Great! Which ice cream would you like?

Robin: I will take the strawberry flavor, please.

Jerry: Would you like a cone or a cup?

Robin: I will have a cone, please. How much is it?

Jerry: That'll be $3.50.

Robin: Here you go.

Jerry: Thank you. Enjoy!

3

EEN NIEUWE AUTO KIEZEN

-

CHOOSING A NEW CAR (A1)

Nick: We hebben een nieuwe auto nodig.

Andrea: Mee eens. Wat voor een soort auto?

Nick: Eentje die goedkoop is, maar betrouwbaar.

Andrea: Juist. Laten we online kijken.

Nick: Goed idee. Bekijk deze eens. Deze is vierduizend euro en heeft pas tienduizend kilometer gereden.

Andrea: Uhm ... dat is wel erg goedkoop. Misschien heeft die auto een probleem?

Nick: Misschien. Laten we verder kijken.

Andrea: Hier staat een andere optie. Deze auto is vijfendertighonderd euro met zevenenzestigduizend kilometer. Dat ziet er goed uit.

Nick: Ja, zo is dat. Is het een tweedeurs of een vierdeurs?

Andrea: Een vierdeurs.

Nick: Uit welk jaar is die?

Andrea: Uit 2010.

Nick: Dat is niet al te oud.

Andrea: Nee, dat klopt.

Nick: Welke kleur is hij?

Andrea: Zilvergrijs.

Nick: O, dat is een mooie kleur. Laten we die auto op ons lijstje zetten.

Andrea: Oké. En dan is hier nog een andere. Deze is zevenentwintighonderd euro en heeft honderdeneenduizend kilometer gelopen.

Nick: Dat zijn wel erg veel kilometers.

Andrea: Ja, maar auto's van dit merk gaan erg lang mee.

Nick: Dat is waar. Is de auto in goede staat?

Andrea: Er zit een kleine deuk in de achterbumper, maar verder ziet alles er goed uit.

Nick: Helemaal goed. Zet die dan ook maar op ons lijstje.

Andrea: Goed.

CHOOSING A NEW CAR

Nick: We need a new car.

Andrea: I agree. What kind of car?

Nick: Something cheap but reliable.

Andrea: Yeah. Let's look online.

Nick: Good idea. Look at this one. It's $4,000 and it only has ten thousand miles on it.

Andrea: Hmm... that's so cheap. Maybe the car has a problem?

Nick: Maybe. Let's keep looking.

Andrea: Here is another option. This car is $3,500 with sixty-seven thousand miles. That's pretty good.

Nick: Yeah, that is. Is it a two-door or four-door?

Andrea: It's a four-door.

Nick: What year is it?

Andrea: It's a 2010.

Nick: That's not too old.

Andrea: No, it's not.

Nick: What color is it?

Andrea: Silver.

Nick: Oh, that's a good color. Let's add that car to our list.

Andrea: Okay. And here's another car. It's $2,700 and it has 101,000 miles.

Nick: That's a lot of miles.

Andrea: Yes, but cars from this company last a long time.

Nick: That's true. Is the car in good condition?

Andrea: There is a small dent on the back bumper. But everything else looks good.

Nick: All right, let's add that to our list, too.

Andrea: Sounds good.

4

IK HEB EEN POESJE GEVONDEN

-

I FOUND A KITTEN (A1)

Andy: Kijk, Mira!

Mira: Wat is er?

Andy: Kom eens hier om ernaar te kijken!

Mira: Wat heb je gevonden?

Andy: Het is een poesje!

Mira: Ach, wat een schatje! Waar is haar moeder?

Andy: Geen idee. Ze is zo klein.

Mira: Die arme ziel! Laten we haar moeder gaan zoeken.

Andy: Oké. Ik zal haar vasthouden en dan zoeken we in de omgeving.

Mira: Helemaal goed. Jij loopt die kant op en ik loop deze kant op. Laten we dan over vijftien minuten weer hier terugkomen.

Andy: Goed idee.

(Vijftien minuten later ...)

Mira: Heb jij haar moeder gevonden?

Andy: Nee, jij?

Mira: Nee. We zouden posters 'poesje gevonden' kunnen maken en ze in de buurt ophangen.

Andy: Precies. Jij hebt een mooi handschrift. Zou jij dat willen doen?

Mira: Natuurlijk.

Andy: Ik zal op de social media netwerken kijken om te zien of iemand een poesje kwijt is geraakt.

Mira: Dan begin ik met het maken van de bordjes!

Andy: Ik hoop dat we het huis van dit poesje kunnen vinden! Als we het niet vinden, dan kunnen we haar naar het dierenasiel brengen in het centrum.

Mira: Ja! Die vinden vast een goed thuis voor haar. Ik hoop dat ze haar dan 'Mira' noemen, net als ik.

Andy: Haha, misschien doen ze dat wel!

I FOUND A KITTEN

Andy: Mira, look!

Mira: What?

Andy: Come over here and look at this!

Mira: What did you find?

Andy: It's a kitten!

Mira: Oh my gosh! It's adorable! Where is its mom?

Andy: I don't know. It's so tiny.

Mira: Poor thing! Let's look for its mother.

Andy: Okay. I will hold it and we can look around the area.

Mira: All right. You walk that way and I will walk this way. Let's meet back here in fifteen minutes.

Andy: Good idea.

(Fifteen minutes later...)

Mira: Did you find its mother?

Andy: No. Did you?

Mira: No. We should make "lost kitten" signs and put them up in the neighborhood.

Andy: Yeah. You have good handwriting. Do you want to do that?

Mira: Sure.

Andy: I will check social media to see if anyone has lost a kitten.

Mira: And I'll start making signs!

Andy: I hope we find this kitten's home! If we don't find it, we can take her to the animal adoption center downtown.

Mira: Yes! Then she will find a good home. I hope they name her "Mira" after me.

Andy: Ha ha. Maybe they will!

5

DE BESTE PIZZA

-

THE BEST PIZZA (A1)

Rafaella: Ik kan niet geloven dat we in New York zijn!

Mikey: Echt hè!

Rafaella: Ik heb zo'n zin om de stad te verkennen!

Mikey: Ik ook. Ik ben nu zo blij.

Rafaella: Dus, wat zou je als eerste willen doen?

Mikey: Ik heb enorme honger. Zullen we iets te eten gaan halen?

Rafaella: Goed idee! Wat wil je eten?

Mikey: We zijn in New York, dus we zouden de pizza moeten proberen!

Rafaella: Ik heb gehoord dat New York de beste pizza's heeft.

Mikey: Dat heb ik ook gehoord. Zullen we naar het restaurant daar aan de overkant gaan?

Rafaella: Ik kan de pizza's al ruiken!

Mikey: Welke zal ik bestellen?

Rafaella: Ik vind deze kaaspizza er goed uitzien.

Mikey: Dat vind ik ook. Welke neem jij?

Rafaella: Ik neem de pepperoni pizza.

Mikey: Hoeveel zullen we er nemen?

Rafaella: Zullen we twee punten van de kaaspizza doen en twee punten pepperoni pizza?

Mikey: Goed idee! Dan kunnen we allebei een stuk kaaspizza en een stuk pepperoni proberen.

Rafaella: Kijk! Onze bestelling is klaar.

Mikey: Ik ga deze meteen proberen.

Rafaella: Hoe is de jouwe?

Mikey: Deze pizza is verrukkelijk!

Rafaella: Wauw, deze is geweldig!

Mikey: Ik denk dat dit de beste pizza is die ik ooit heb gegeten!

Rafaella: Nou, ik ook! Ik ben weg van deze pizza's!

THE BEST PIZZA

Rafaella: I can't believe we are here in New York City!

Mikey: I know!

Rafaella: I am so excited to explore this city!

Mikey: Me too. I'm very happy right now.

Rafaella: So, what would you like to do first?

Mikey: I'm very hungry. Should we get food?

Rafaella: That is a great idea! What do you want to eat?

Mikey: We are in New York so we should get pizza!

Rafaella: I heard New York has the best pizza.

Mikey: I heard that too. Let's go to the restaurant across the street.

Rafaella: I can smell the pizza already!

Mikey: Which one should I order?

Rafaella: I think the cheese pizza looks good.

Mikey: I think so, too. What are you going to get?

Rafaella: I will get the pepperoni pizza.

Mikey: How many should we get?

Rafaella: Let's get two slices of the cheese pizza and two slices of the pepperoni pizza.

Mikey: Good idea! We can both try a cheese pizza and a pepperoni pizza.

Rafaella: Look! Our order is ready.

Mikey: I'm going to try one now.

Rafaella: How is it?

Mikey: This pizza is delicious!

Rafaella: Wow, this is amazing!

Mikey: I think this is the best pizza I've ever had!

Rafaella: I think so, too! I love this pizza!

6

EEN NIEUWE HUISGENOOT
-
NEW ROOMMATE (A1)

Liz: Hoi Derek!

Derek: Hé Liz! Hoe gaat het?

Liz: Met mij goed, maar ik ben een beetje gestrest.

Derek: Waarom dan?

Liz: Ik moet snel een nieuwe huisgenoot vinden.

Derek: Is Sarah verhuisd?

Liz: Inderdaad. Ze heeft een baan gekregen in Los Angeles.

Derek: O, dat is geweldig! Voor haar dan ...

Liz: Ja precies, voor haar! Ze was de perfecte huisgenoot. Ik heb geen idee hoe ik iemand kan vinden die net zo goed is als zij.

Derek: Nou, misschien zul je geen perfecte huisgenoot vinden, maar je kunt wel een goede vinden!

Liz: Dat hoop ik dan maar. Ken jij iemand die op zoek is naar woonruimte?

Derek: Uhm ... ik zal het aan mijn vriendin Rebekka vragen. Zij zocht iets wat dichter bij de stad was. Ik zal het je binnenkort laten weten!

Liz: Oké! Hartelijk bedankt, Derek!

(Drie dagen later ...)

Derek: Hoi Liz. Ben je nog steeds op zoek naar een huisgenoot?

Liz: Nou en of!

Derek: Ik heb met Rebekka gesproken en ze zei dat ze wel geïnteresseerd is om bij je te komen wonen. Ze wil wel met je praten en het appartement een keer bekijken.

Liz: Dat is geweldig nieuws! Natuurlijk. Geef haar mijn nummer maar.

Derek: Dat zal ik doen. Maar er is wel een probleempje.

Liz: O, en ... dat is?

Derek: Ze heeft een kat. Ik weet dat je katten haat.

Liz: Poeh.

Derek: Tja …

Liz: Nou … is het een leuke kat?

Derek: Eigenlijk wel ja. Haar kat is echt cool en gedraagt zich als een hond.

Liz: Echt?

Derek: Ja.

Liz: Oké, ik zal eens met Rebekka en haar kat afspreken. Wie weet? Misschien ga ik wel van katten houden!

Derek: Haha, ja! Ga er open in. Je hebt echt een huisgenoot nodig.

Liz. Dat klopt. Zal ik doen.

NEW ROOMMATE

Liz: Hi, Derek!

Derek: Hey, Liz! How are you?

Liz: I'm good, but I'm a little stressed.

Derek: Why?

Liz: I need to find a new roommate quickly.

Derek: Did Sarah move out?

Liz: Yeah. She got a job in L.A.

Derek: Oh, that's great! For her...

Liz: Yeah, for her! She was the perfect roommate. I don't know how I will find someone as good as her.

Derek: Well, maybe you won't find the perfect roommate, but you can find someone good!

Liz: I hope so. Do you know anyone who needs a place to live?

Derek: Hmm... I'll ask my friend Rebecca. She wants to live closer to the city. I'll let you know soon!

Liz: Okay! Thanks so much, Derek!

(Three days later...)

Derek: Hey, Liz. Are you still trying to find a roommate?

Liz: Yes!

Derek: I talked to Rebecca and she said she is interested in living with you. She wants to talk to you and see the apartment.

Liz: That's great news! Sure. Give her my number.

Derek: I will. There's only one problem.

Liz: Uh oh. What is it?

Derek: She has a cat. I know you hate cats.

Liz: Ugh.

Derek: Yeah...

Liz: Well... is the cat nice?

Derek: Actually, yes. The cat is really cool. It acts like a dog.

Liz: Really?

Derek: Yes.

Liz: Okay. I'll meet Rebecca and the cat. Who knows? Maybe I will start to like cats!

Derek: Ha ha, yes! Keep an open mind. You really need a roommate.

Liz. You're right. I will.

7

EEN ZOMERSE PICKNICK

-

A SUMMER PICNIC (A1)

June: Ik hou ervan om in Zuid-Californië te wonen. De zomers zijn hier zo lekker!

Paolo: Mee eens. Het is heerlijk weer vandaag.

June: Ik wil vandaag iets buiten gaan doen. Wil je mee?

Paolo: Natuurlijk. Waar heb je zin in?

June: Ik wil wel gaan picknicken. Ik heb al een picknickmand en een picknickkleed.

Paolo: Perfect, dan kunnen we naar het park.

June: Het park klinkt goed! Wat zullen we aan eten meenemen voor onze picknick?

Paolo: We zouden sandwiches kunnen eten.

June: Ik kan bij de bakker vers brood halen.

Paolo: Ik heb ham en gesneden kalkoen. Ik heb ook sla en tomaten.

June: Heb je ook mosterd in huis?

Paolo: Nee, jij wel?

June: Nee. Ik zal mosterd kopen.

Paolo: Hou je van mayonaise?

June: Ja. Heb je mayonaise?

Paolo: Ja, dat heb ik wel. Ik zal de mayonaise meebrengen.

June: Wat zou je tijdens onze picknick willen drinken?

Paolo: Hmmm… misschien water en frisdrank?

June: Ik heb wel water, maar geen frisdranken.

Paolo: Ik heb wel frisdrank in huis. Als jij het water meeneemt, dan neem ik de frisdrank mee.

June: Dat klinkt goed.

Paolo: Hoe laat zullen we afspreken in het park?

June: Laten we om 10 uur afspreken.

Paolo: Oké, tot dan!

A SUMMER PICNIC

June: I love living in southern California. The summers here are so nice!

Paolo: I agree. The weather is beautiful today.

June: I want to do something outside today. Would you like to join me?

Paolo: Sure. What do you want to do?

June: I want to have a picnic. I already have a picnic basket and a picnic blanket.

Paolo: Perfect. We can go to the park.

June: The park sounds great! What should we eat at our picnic?

Paolo: We should eat sandwiches.

June: I can buy fresh bread at the bakery.

Paolo: I have ham and sliced turkey. I also have lettuce and tomatoes.

June: Do you have mustard at home?

Paolo: No. Do you?

June: No. I will buy the mustard.

Paolo: Do you like mayonnaise?

June: Yes. Do you have mayonnaise?

Paolo: Yes, I do. I will bring the mayonnaise.

June: What would you like to drink at our picnic?

Paolo: Hmmm... maybe water and soda?

June: I have water but I don't have soda.

Paolo: I have soda at home. You can bring the water and I will bring the soda.

June: That sounds good.

Paolo: What time should we meet at the park?

June: We should meet at 10 a.m.

Paolo: Okay, I'll see you there!

8

WAAR KOM JIJ VANDAAN?

-

WHERE ARE YOU FROM? (A1)

Ollie: Hoi. Ik ben Olivia, maar je mag me Ollie noemen.

Frank: Hé Ollie. Ik ben Frank. Aangenaam kennis te maken.

Ollie: Aangenaam om ook met jou kennis te maken.

Frank: Waar kom je vandaan?

Ollie: Engeland. En jij?

Frank: Ik kom uit Alaska.

Ollie: O, Alaska? Ik heb foto's van Alaska gezien. Het is daar prachtig.

Frank: Het is heel erg mooi. Waar uit Engeland kom je vandaan?

Ollie: Uit een klein stadje dat Alfriston heet. Het ligt op ongeveer twee en een half uur van Londen.

Frank: Oké. Wat voor een stad is Alfriston?

Ollie: Het is echt een gezellig oud stadje. Veel van de gebouwen komen uit de 14e eeuw.

Frank: O, wauw.

Ollie: Ja, het is echt een charmant stadje. Er zijn ook een aantal traditionele Engelse pubs.

Frank: Dat klinkt geweldig. Ik zou het graag een keer bekijken!

Ollie: Dat zou je zeker moeten doen! En, waar uit Alaska kom jij vandaan?

Frank: Anchorage, de grootste stad.

Ollie: Hoeveel mensen wonen daar?

Frank: Ik denk bijna driehonderdduizend.

Ollie: Wauw. Dat is toch nog wel klein.

Frank: Haha, ja. Alaska's heeft niet zo'n grote bevolking.

Ollie: Wat voor een leuke dingen kan je in Anchorage doen?

Frank: Je kunt er het Alaska Native Heritage Center bezoeken. Dat is een museum over de inheemse bevolking van Alaska. Er zijn ook een aantal prachtige plekken waar je heen kunt rijden, zoals het Earthquake Park, Glen Alps Trailhead en Point Woronzof.

Ollie: Heb je foto's van die plekken?

Frank: Ja! Ik zal ze je laten zien.

WHERE ARE YOU FROM?

Ollie: Hi. I'm Olivia, but you can call me Ollie.

Frank: Hey, Ollie. I'm Frank. Nice to meet you.

Ollie: Nice to meet you, too.

Frank: Where are you from?

Ollie: England. What about you?

Frank: I'm from Alaska.

Ollie: Oh, Alaska? I've seen pictures of Alaska. It's beautiful there.

Frank: It's very beautiful. Where in England are you from?

Ollie: A small town called Alfriston. It's about two and a half hours outside of London.

Frank: I see. What is Alfriston like?

Ollie: It's really cute and old. Many of the buildings are from the 1300s.

Frank: Oh, wow.

Ollie: Yeah, the town is really charming. There are some traditional English pubs there, too.

Frank: Sounds great. I would love to see it someday!

Ollie: You should go! So, where in Alaska are you from?

Frank: Anchorage, the biggest city.

Ollie: How many people live there?

Frank: I think almost three hundred thousand.

Ollie: Wow. That's kind of small.

Frank: Ha ha, yeah. Alaska's population isn't very big.

Ollie: What are some fun things to do in Anchorage?

Frank: You can visit the Alaska Native Heritage Center. It is a museum about the indigenous people of Alaska. There are also some beautiful places you can drive to, like Earthquake Park, Glen Alps Trailhead, and Point Woronzof.

Ollie: Do you have pictures of those places?

Frank: Yes! I'll show you.

9

EEN SPONTANE RONDREIS

-

LET'S TAKE A ROAD TRIP (A1)

Keegan: Ik verveel me.

Jennie: Ik ook.

Keegan: Wat zullen we gaan doen?

Jennie: Ik weet het niet.

Keegan: Hmm ...

Jennie: Ik wil ergens naar toe.

Keegan: Waar dan?

Jennie: Ik weet het niet. Ik weet alleen dat ik ergens heen wil rijden.

Keegan: Wat een geweldig idee! Zullen we een rondreis maken?

Jennie: Dat klinkt goed. Waar zullen we heen gaan?

Keegan: Ik weet het niet. Ik denk dat we het beste naar het noorden kunnen gaan.

Jennie: Oké. We kunnen langs de kust rijden en dan San Francisco bezoeken.

Keegan: Dat idee bevalt me wel. We kunnen ook een tussenstop maken in Monterey!

Jennie: Ja! Ik wil naar het Monterey Aquarium.

Keegan: Ik ook. Ik wil de zeeotters in het Monterey Aquarium zien.

Jennie: Zeeotters zijn zo schattig!

Keegan: Mee eens.

Jennie: Wanneer zou je willen gaan?

Keegan: Ik wil nu meteen gaan. Kun jij nu ook mee?

Jennie: Ja hoor! We hebben nog wel wat snacks nodig voor de rondreis.

Keegan: Wat voor snacks wil je?

Jennie: Ik wil beef jerky en chips.

Keegan: Beef jerky is perfect voor rondreizen!

Jennie: Akkoord.

Keegan: Ik heb er zo'n zin in!

Jennie: Laten we gaan!

LET'S TAKE A ROAD TRIP

Keegan: I'm bored.

Jennie: Me too.

Keegan: What can we do?

Jennie: I don't know.

Keegan: Hmm...

Jennie: I want to go somewhere.

Keegan: Where?

Jennie: I'm not sure. I know I want to drive somewhere.

Keegan: Great idea! Let's go on a road trip!

Jennie: That sounds good. Where should we go?

Keegan: I don't know. I think we should drive north.

Jennie: Okay. We can drive along the coast and visit San Francisco.

Keegan: I like that idea. We can also stop at Monterey!

Jennie: Yes! I want to go to the Monterey Aquarium.

Keegan: Me too. I want to see the sea otters at the Monterey Aquarium.

Jennie: Sea otters are so cute!

Keegan: I agree.

Jennie: When do you want to go?

Keegan: I want to go right now. Can you go right now?

Jennie: Yep! We need snacks for the road trip though.

Keegan: Which snacks would you like?

Jennie: I want to get beef jerky and potato chips.

Keegan: Beef jerky is perfect for road trips!

Jennie: I agree.

Keegan: I'm so excited!

Jennie: Let's go!

10

BARBECUE IN DE ACHTERTUIN
-
BACKYARD BBQ (A1)

Jill: Hé Wilson. Hoe gaat het?

Wilson: Hoi buurvrouw! Het gaat goed, en met jou?

Jill: Goed hoor! Heb je plannen voor dit weekend?

Wilson: Nee. Ik blijf dit weekend thuis. En jij dan?

Jill: Tim wil barbecueën in onze achtertuin. Wil je naar onze barbecue komen?

Wilson: Ja, graag zelfs! Wanneer is het?

Jill: Zaterdag, om twaalf uur 's middags.

Wilson: Super! Wat voor een soort eten zal er op de barbecue zijn?

Jill: Er zullen hotdogs, hamburgers en gegrilde kip zijn.

Wilson: Dat klinkt heerlijk!

Jill: Dat dacht ik ook.

Wilson: Kan ik ook iets meebrengen?

Jill: Ja, je zou een salade of een toetje voor iedereen mee kunnen nemen.

Wilson: Dan doe ik dat. Hoeveel mensen komen er naar de barbecue?

Jill: Ik denk zo'n vijftien.

Wilson: Dat zijn een hoop mensen!

Jill: Ja, we hebben best een hoop van onze vrienden uitgenodigd.

Wilson: Mag ik ook een vriendin meebrengen?

Jill: Natuurlijk. Wie is het?

Wilson: Ze heet Mary. Ik heb haar in de supermarkt ontmoet.

Jill: O, nou! Vind je haar leuk?

Wilson: Ja, eigenlijk wel. Ik zou het leuk vinden als jij haar ontmoet.

Jill: Dat klinkt goed. Ik ben echt blij voor je!

Wilson: Dankjewel.

Jill: Graag gedaan! Ik moet nu naar huis, maar ik zie je dan op zaterdag.

Wilson: Ja, tot zaterdag! Ik kijk ernaar uit.

Jill: Ik ook. Doei!

Wilson: Tot ziens.

BACKYARD BBQ

Jill: Hi, Wilson. How are you doing?

Wilson: Hi there, neighbor! I'm doing well. How are you?

Jill: Fine, thanks! Do you have plans this weekend?

Wilson: No. I'm staying home this weekend. What about you?

Jill: Tim wants to have a barbecue in our backyard. Would you like to come to our barbecue?

Wilson: I would love to! When is it?

Jill: Saturday at noon.

Wilson: Great! Which foods will you have at the barbecue?

Jill: We will have hot dogs, hamburgers, and barbecued chicken.

Wilson: That sounds delicious!

Jill: I hope so.

Wilson: Should I bring anything?

Jill: Yes, you can bring a salad or dessert for everyone.

Wilson: I'll do that. How many people are coming to the barbecue?

Jill: I think about fifteen.

Wilson: That is a lot of people!

Jill: Yes, we invited many of our friends.

Wilson: May I bring a friend?

Jill: Sure, who is it?

Wilson: Her name is Mary. I met her at the supermarket.

Jill: Oh, wow! Do you like her?

Wilson: Yes, I do. I want you to meet her.

Jill: That sounds good. I'm excited for you!

Wilson: Thank you.

Jill: You're welcome! I have to go home now, but I will see you this Saturday.

Wilson: Yes, see you this Saturday! I'm looking forward to it.

Jill: Me too. Goodbye!

Wilson: See you later.

11

EEN TWEEDE EERSTE DATE

-

A SECOND FIRST DATE (A1)

Darius: Hoi. Ben jij Cassandra?

Cassandra: Ja! Ben jij Darius?

Darius: Ja, wat leuk om je te ontmoeten!

Cassandra: Ja, leuk om zo kennis te maken. Hoe was je dag?

Darius: Nogal druk. Hoe was jouw dag?

Cassandra: Bij mij was het ook druk.

Darius: Nou, ik hoop dat je trek hebt.

Cassandra: Ik heb wel trek en zin om wat te eten.

Darius: Goed zo! Wat zou je willen eten?

Cassandra: Ik vind die vis er lekker uitzien.

Darius: Ik vind die vis er ook goed uitzien. Ik zal vis voor ons bestellen.

Cassandra: Oké!

Darius: Nou, vertel eens wat over jezelf. Wat voor werk doe je?

Cassandra: Ik werk op een advocatenbureau. Ik ben advocaat.

Darius: O, cool. Vind je dat een leuke baan?

Cassandra: Het is echt zwaar, maar ik hou ervan om advocaat te zijn. En ik heb een leuke firma.

Darius: Wat is er zo leuk aan jullie firma?

Cassandra: Iedereen is aardig bij ons. Daarnaast is er een koffieapparaat dat meer dan twintig drankjes kan maken.

Darius: Ho! Wacht eens … is het een wit koffieapparaat?

Cassandra: Ja, hoe weet je dat?

Darius: Heeft je baas dat koffieapparaat voor iedereen gekocht?

Cassandra: Ja, wacht eens … Werk jij bij een bank?

Darius: Ja …

Cassandra: Zijn wij niet al eerder uitgeweest?

Darius: Ja … Ik geloof het wel. Dit is echt heel vreemd. Nou, leuk je nog eens te ontmoeten!

Cassandra: Uh, ja, leuk om jou opnieuw tegen te komen!

A SECOND FIRST DATE

Darius: Hey. Are you Cassandra?

Cassandra: Yes! Are you Darius?

Darius: Yes, nice to meet you!

Cassandra: Nice to meet you, too. How was your day?

Darius: Pretty busy. How was your day?

Cassandra: Mine was busy, too.

Darius: Well, I hope you're hungry.

Cassandra: I'm hungry and ready to eat.

Darius: Great! What would you like to eat?

Cassandra: I think the fish looks good.

Darius: I think the fish looks good, too. I'll order the fish for us.

Cassandra: Okay!

Darius: So tell me about yourself. What do you do for work?

Cassandra: I work at a law firm. I'm a lawyer.

Darius: Oh, cool. Do you like your job?

Cassandra: It's very hard, but I love being a lawyer. I also love my firm.

Darius: What do you love about your firm?

Cassandra: Everyone is very nice at my firm. Also, we have a coffee machine that makes twenty different kinds of coffee drinks.

Darius: Wow! Wait… is this coffee machine white?

Cassandra: Yes, how did you know?

Darius: Did your boss buy the coffee machine for everyone?

Cassandra: Yes… wait. Do you work at a bank?

Darius: Yes…

Cassandra: Did we go on a date before?

Darius: Yes… I think we did. This is awkward. Well, nice to meet you again!

Cassandra: Uh, nice to meet you again, too!

12

BIJ WIE WOON JIJ?

-

WHO DO YOU LIVE WITH? (A1)

Lorenzo: Hoi Elena. Ben je moe?

Elena: Ja, een beetje. Ik heb niet veel geslapen afgelopen nacht.

Lorenzo: Echt? Waarom niet?

Elena: De baby van mijn zus heeft de hele nacht gehuild.

Lorenzo: O, nee. Dat is voor niemand leuk.

Elena: Nee, inderdaad.

Lorenzo: Hoe oud is de baby?

Elena: Hij is drie maanden.

Lorenzo: O, hij is super klein! Ja, baby's op die leeftijd huilen veel.

Elena: Ja. Ik wil wel op mezelf wonen, maar appartementen in deze stad zijn zo duur.

Lorenzo: Ja, dat zijn ze zeker.

Elena: Bij wie woon jij?

Lorenzo: Mijn vriend Matteo. We hebben een appartement met twee slaapkamers.

Elena: Cool. Is hij een fijne huisgenoot?

Lorenzo: Jazeker, hij is een goede huisgenoot, maar hij snurkt hard!

Elena: O, echt?

Lorenzo: Ja. Ik heb bijna iedere nacht oordoppen in en soms slaap ik slecht.

Elena: Dus we hebben een vergelijkbaar probleem, behalve dat mijn huisgenoot een baby is.

Lorenzo: Haha, da's waar! En hopelijk stopt jouw huisgenoot over een paar maanden met huilen, maar ik weet niet of Matteo zal stoppen met snurken.

Elena: Ik hoop het! Toch hou ik van mijn neefje. Hij is zo schattig.

Lorenzo: Je hebt geluk dat je zoveel tijd met hem kunt doorbrengen.

Elena: Ik weet het.

Lorenzo: Oké, nou, ik moet gaan. Hopelijk kun je vannacht goed slapen!

Elena: Ik hoop het ook!

WHO DO YOU LIVE WITH?

Lorenzo: Hey, Elena. Are you tired?

Elena: Yeah, a little. I didn't sleep much last night.

Lorenzo: Really? Why not?

Elena: My sister's baby was crying all night.

Lorenzo: Oh, no. That's not fun for anyone.

Elena: No, it's not.

Lorenzo: How old is the baby?

Elena: He's three months.

Lorenzo: Oh, he's super young! Yeah, babies cry a lot at that age.

Elena: Yep. I want to live alone but apartments in this city are so expensive.

Lorenzo: Yes, they are.

Elena: Who do you live with?

Lorenzo: My friend Matteo. We have a two-bedroom apartment.

Elena: Cool. Is he a good roommate?

Lorenzo: Yeah, he's a really good roommate. But he snores loudly!

Elena: Oh, he does?

Lorenzo: Yeah. I wear ear plugs almost every night. Sometimes I don't sleep very well.

Elena: So we have a similar problem! Except my roommate is a baby.

Lorenzo: Ha ha, true! And hopefully in a few months your roommate will stop crying so much. I don't know if Matteo will stop snoring!

Elena: I hope so! I love my nephew, though. He's so cute.

Lorenzo: You're lucky that you can spend so much time with him.

Elena: I know.

Lorenzo: Okay, well, I have to go. I hope you can sleep tonight!

Elena: Me too!

13

MIJN FAVORIETE LERAAR

-

MY FAVORITE TEACHER (A1)

Carrie: Hé Rajesh. Hoe gaat het met je?

Rajesh: Hoi Carrie. Best goed. Wat ben je aan het doen?

Carrie: Ik bekijk foto's van de middelbare school.

Rajesh: O, cool. Mag ik er een paar zien?

Carrie: Natuurlijk.

Rajesh: Wie zijn die meiden?

Carrie: Dat zijn mijn vriendinnen: Alana en Rachel. Dat waren mijn beste vriendinnen op de middelbare school.

Rajesh: Gaaf! Ben je nog steeds met hen bevriend?

Carrie: Ja. Alana woont in Portland, dus ik zie haar heel vaak. En ik heb Rachel vorige week nog gezien. Zij woont in New York, maar ze kwam terug naar Portland om haar familie te bezoeken en toen zijn we samen uit wezen eten. Ik zie haar maar één of twee keer per jaar, dus het was fijn om haar weer te zien.

Rajesh: Dat is geweldig. De meeste vrienden van mijn middelbare school wonen nu in andere steden, dus ik zie hen niet zo vaak.

Carrie: Ach, dat is jammer.

Rajesh: Ja, maar we houden contact. Dus het is niet zo erg.

Carrie: Goed zo.

Rajesh: Wie is die man?

Carrie: Dat is Meneer Byrne. Hij was mijn fotografiedocent.

Rajesh: O, had jij fotografielessen?

Carrie: Ja! Ik vond fotografie op de middelbare school geweldig. Ik heb zelfs op de kunstacademie gestudeerd.

Rajesh: Echt waar?

Carrie: Ja, maar na twee jaar veranderde ik van studierichting. Ik besloot om fotografie alleen als hobby te houden en niet als werk.

Rajesh: Dat was waarschijnlijk een goed idee. Praat je nog wel eens met Meneer Byrne?

Carrie: Ja, toevallig wel! Hij was mijn favoriete leraar! Het komt door hem dat ik fotografie zo leuk vind.

Rajesh: Dat is zo gaaf! Ik heb geen contact gehouden met mijn favoriete lerares, maar ik ben haar wel dankbaar.

Carrie: Sommige leraren zijn echt geweldig.

Rajesh: Sommigen wel ja!

MY FAVORITE TEACHER

Carrie: Hey, Rajesh. How are you?

Rajesh: Hi, Carrie. I'm pretty good. What are you up to?

Carrie: I'm looking at pictures from high school.

Rajesh: Oh, cool. Can I see some?

Carrie: Sure.

Rajesh: Who are those girls?

Carrie: Those are my friends, Alana and Rachel. They were my best friends in high school.

Rajesh: Nice! Are you still friends with them?

Carrie: Yeah, Alana lives in Portland, so I see her all the time. And I saw Rachel last week. She lives in New York but she came back to Portland to visit her family, and we all had dinner. I only see her once or twice a year, so it was nice to see her.

Rajesh: That's awesome. Most of my friends from high school live in different cities so I don't see them very often.

Carrie: Aw, that's too bad.

Rajesh: Yeah, but we keep in touch, so it's okay.

Carrie: Good.

Rajesh: Who's that guy?

Carrie: That's Mr. Byrne. He was my photography teacher.

Rajesh: Oh, you took photography?

Carrie: Yep! I loved photography in high school. I actually studied art in college.

Rajesh: You did?

Carrie: Yeah, but I changed majors after two years. I decided I only wanted to do photography for fun, not as a job.

Rajesh: That was probably a good idea. Do you still talk to Mr. Byrne?

Carrie: Actually, yes! He was my favorite teacher! I love photography because of him.

Rajesh: That's so cool! I didn't keep in touch with my favorite teacher, but I am very grateful for her.

Carrie: Teachers are amazing.

Rajesh: Yes, they are!

14

EEN STRANDWANDELING

-

A WALK ON THE BEACH (A1)

Lynn: Het is zo'n mooie dag!

Adamu: Ja, dat is het zeker. Een perfecte dag voor een strandwandeling!

Lynn: Wat een geluk dat we dicht bij het strand wonen.

Adamu: Zeker, we zouden er vaker heen moeten gaan.

Lynn: Ja, inderdaad. Ik hou van het gevoel van zand onder mijn voeten.

Adamu: Ik ook. Maar soms is het zand te heet!

Lynn: Klopt. Maar nu voelt het wel lekker aan.

Adamu: Precies.

Lynn: Ik denk dat ik schelpen ga zoeken.

Adamu: Dat klinkt leuk. Ik denk dat ik ga zwemmen. Het water ziet er zo uitnodigend uit.

Lynn: Oké! Wees voorzichtig!

Adamu: Ik zal niet te ver van de kust gaan. Ik wil maar een paar minuten zwemmen. En ik ben een goede zwemmer.

Lynn: In orde.

(Tien minuten later ...)

Adamu: Dat was lekker, zeg! Heb je mooie schelpen gevonden?

Lynn: Ja, een paar. Bekijk deze eens.

Adamu: O, dat is gaaf! Die is zo kleurrijk.

Lynn: Was het water koud?

Adamu: Eerst was het wel koud, maar daarna was het wel lekker. De golven waren toch wel aardig sterk.

Lynn: Ja, ze zagen er flink uit!

Adamu: Ik ga een poosje in het zand zitten om op te drogen.

Lynn: Oké. Ik ga nog meer schelpen zoeken. Ik kom zo weer terug!

Adamu: Veel plezier!

A WALK ON THE BEACH

Lynn: It's such a beautiful day!

Adamu: Yes, it is. A perfect day for a walk on the beach!

Lynn: We're so lucky that we live close to the beach.

Adamu: Yeah. We should come more often.

Lynn: Yes, we should. I love the feeling of the sand under my feet.

Adamu: Me too. But sometimes the sand is hot!

Lynn: True. It feels nice right now, though.

Adamu: Yeah.

Lynn: I think I will collect some shells.

Adamu: That sounds fun. I think I will go for a swim. The water looks so inviting.

Lynn: Okay! Be careful!

Adamu: I won't go out very far. I just want to swim for a couple minutes. And I'm a good swimmer.

Lynn: All right.

(Ten minutes later…)

Adamu: That was so refreshing! Did you find some good shells?

Lynn: Yes, a few. Look at this one.

Adamu: Oh, that's cool! It's so colorful.

Lynn: Was the water cold?

Adamu: It was cold at first, but then it felt good. The waves were a little strong, though.

Lynn: Yeah, they looked strong!

Adamu: I will sit on the sand for a while so I can dry off.

Lynn: Okay. I will look for some more shells. I will be back soon!

Adamu: Have fun!

15

DE BESTE MANIEREN OM EEN TAAL TE LEREN

-

BEST WAYS TO LEARN A LANGUAGE (A1)

Mitchell: Ik wil mijn Japans verbeteren.

Lacey: Spreek jij Japans?

Mitchell: Ja, een beetje.

Lacey: Dat wist ik niet.

Mitchell: Ik ben drie of vier jaar geleden begonnen Japans te leren.

Lacey: Echt? Waarom?

Mitchell: Ik hou van de taal en de cultuur. Ik ben als kind in Japan geweest. Daarna is Japan mij altijd blijven interesseren.

Lacey: Dat is interessant. Hoe leer je Japans?

Mitchell: Ik volg een online cursus en ik heb een app op mijn telefoon. Maar ik maak niet zoveel vorderingen.

Lacey: Kijk je Japanse films of tv-series?

Mitchell: Soms.

Lacey: Misschien moet je dat eens wat vaker doen.

Mitchell: Ik zal het proberen. Maar soms is het moeilijk om de gesprekken te volgen.

Lacey: Probeer te kijken met Japanse ondertiteling. Dan kun je het Japans lezen terwijl je er tegelijkertijd naar luistert. Als je dat doet, kan dat je bij je luistervaardigheid en je spreekvaardigheid helpen.

Mitchell: Dat is een goed idee. Wat zou ik nog meer moeten doen?

Lacey: Praat je wel eens met Japanners?

Mitchell: Niet echt.

Lacey: Ik heb een vriendin die in een Japanse en Nederlandse taal- en cultuurgroep zit. Je zou bij die groep kunnen gaan. Ze ontmoeten elkaar eens per maand en oefenen Nederlands en Japans.

Mitchell: O, dat klinkt interessant!

Lacey: Ik zal voor je informeren!

BEST WAYS TO LEARN A LANGUAGE

Mitchell: I want to improve my Japanese.

Lacey: You speak Japanese?

Mitchell: Yes, a little.

Lacey: I didn't know that.

Mitchell: I started learning Japanese three or four years ago.

Lacey: Really? Why?

Mitchell: I love the language and the culture. I went to Japan when I was a child. After that, I have always been interested in Japan.

Lacey: That's interesting. How do you study Japanese?

Mitchell: I take an online course and I have an app on my phone. But I'm not really getting better.

Lacey: Do you watch Japanese movies or TV shows?

Mitchell: Sometimes.

Lacey: Maybe you should watch them more often.

Mitchell: I try to. But sometimes it's hard to understand the dialogue.

Lacey: Try watching with Japanese subtitles. Then you can read Japanese and listen at the same time. Doing that will help both your listening and your speaking skills.

Mitchell: That's a good idea. What else should I do?

Lacey: Do you ever speak to Japanese people?

Mitchell: Not really.

Lacey: My friend is in a Japanese and English language and cultural exchange group. You should join the group. They meet once a month and practice English and Japanese.

Mitchell: Oh, that sounds perfect!

Lacey: I will get the information for you!

16

WAT IS DAT GELUID?

-

WHAT'S THAT SOUND? (A1)

Claire: Wat is dat geluid?

Ernesto: Welk geluid?

Claire: Hoor je dat niet?

Ernesto: Nee ...

Claire: Het klinkt als een kikker.

Ernesto: Een kikker?

Claire: Ja.

Ernesto: Ik hoor helemaal niks.

Claire: Maar het is luid!

Ernesto: Misschien beeld jij je het geluid in.

Claire: Nee, misschien heb jij een slecht gehoor!

Ernesto: Met mijn gehoor is niets mis.

Claire: Luister eens! Ik hoor het alweer.

Ernesto: Hmm ... Dat hoorde ik. Je hebt gelijk. Het klinkt als een kikker.

Claire: Nou! Zie je wel?

Ernesto: Maar we wonen in de stad. Er zijn hier helemaal geen kikkers.

Claire: Misschien is het iemands huisdier dat uit zijn huis ontsnapt is.

Ernesto: Laten we hem gaan zoeken.

Claire: Oké!

Ernesto: Kijk jij maar achter het gebouw. Ik kijk voor het gebouw.

Claire: Het is eng achter het gebouw. Ik kijk wel voor.

Ernesto: Vooruit. Gebruik de zaklamp op je telefoon.

Claire: Goed idee.

Ernesto: Ik heb hem gevonden!

Claire: Echt waar?!

Ernesto: O, wacht, nee. Dat is gewoon een steen.

Claire: Ik denk dat ik hem gevonden heb.

Ernesto: Ach jeetje! Ik zie hem!

Claire: Hij is zo schattig! Kunnen we hem houden?

Ernesto: Nee, we kunnen geen wilde dieren houden, zelfs niet als ze schattig zijn.

Claire: Nou, oké dan. Het was wel leuk buiten!

Ernesto: Haha, ja. Dat was het zeker!

WHAT'S THAT SOUND?

Claire: What's that sound?

Ernesto: What sound?

Claire: You don't hear that?

Ernesto: No...

Claire: It sounds like a frog.

Ernesto: A frog?

Claire: Yeah.

Ernesto: I don't hear anything.

Claire: But it's loud!

Ernesto: Maybe you're imagining the sound.

Claire: No, maybe you just have bad hearing!

Ernesto: My hearing is amazing.

Claire: There! I heard it again.

Ernesto: Hmm... I heard that. You're right. It sounds like a frog.

Claire: Aha! I told you!

Ernesto: But we live in the city. There are no frogs here.

Claire: Maybe it was someone's pet and it escaped from their house.

Ernesto: Let's look for it.

Claire: Okay!

Ernesto: You look behind the building. I'll look in front of the building.

Claire: It's scary behind the building. I'll look in front.

Ernesto: Fine. Use the flashlight on your phone.

Claire: Good idea.

Ernesto: I found it!

Claire: You did?!

Ernesto: Oh, wait, no. That's just a rock.

Claire: I think I found it!

Ernesto: Oh my gosh! I see it!

Claire: He's so cute! Can we keep him?

Ernesto: No, we can't keep wild animals, even if they are cute.

Claire: Ugh, fine. Well, this was a fun nature walk!

Ernesto: Ha ha, yes it was!

17

HARDLOPEN IS MOEILIJK

-

RUNNING IS HARD (A1)

Kylie: Wil je met mij mee komen hardlopen, Marcus?

Marcus: Uhm ... niet echt.

Kylie: Waarom niet?

Marcus: Ik hou niet van hardlopen.

Kylie: Echt niet? Maar je hebt een goede conditie.

Marcus: Ja, ik ga naar de sportschool en doe aan gewichtheffen. En soms speel ik basketbal. Maar ik hou niet van lange afstanden rennen.

Kylie: Als je met mij gaat, kunnen we langzaam hardlopen en veel pauzes nemen.

Marcus: Hmm ... oké. Ik ga wel mee.

Kylie: Joepie!

Marcus: Wanneer ga je?

Kylie: Nu.

Marcus: O, echt? Oké. Dan ga ik mijn loopschoenen aantrekken.

Kylie: Prima.

Marcus: Klaar!

Kylie: Kom op, we gaan!

Marcus: Hé, langzaam aan!

Kylie: Ik ga al langzaam!

Marcus: Kun je nog langzamer?

Kylie: Als we nog langzamer gaan, dan wandelen we.

Marcus: Poeh, hardlopen is moeilijk!

Kylie: In het begin is het moeilijk. Maar het wordt makkelijker. Je zou één of twee keer in de week moeten gaan hardlopen. Gewoon kleine stukjes. En dan wordt het makkelijker.

Marcus: Oké, dat zal ik proberen.

Kylie: En kun jij me helpen met gewichtheffen? Dan kunnen we elkaar helpen.

Marcus: Afgesproken!

RUNNING IS HARD

Kylie: Do you want to go running with me, Marcus?

Marcus: Umm... not really.

Kylie: Why not?

Marcus: I don't like running.

Kylie: You don't? But you're in good shape.

Marcus: Yeah, I go to the gym and lift weights. And I play basketball sometimes. But I don't like running long distances.

Kylie: If you go with me, we can run slowly and take lots of breaks.

Marcus: Hmm... okay. I'll go.

Kylie: Yay!

Marcus: When are you going?

Kylie: Now.

Marcus: Ah, really? Okay. Let me put my running shoes on.

Kylie: All right.

Marcus: Ready!

Kylie: Let's go!

Marcus: Hey, slow down!

Kylie: I am going slowly!

Marcus: Can you go more slowly?

Kylie: If we go more slowly, we will be walking.

Marcus: Ugh, running is hard!

Kylie: It's hard in the beginning. But it gets easier. You should try to run two or three times a week, just short distances. And then it will get easier.

Marcus: Okay, I'll try that.

Kylie: And you can help me lift weights. We can help each other.

Marcus: Deal!

18

KOEKJES BAKKEN

-

BAKING COOKIES (A1)

Betty: We hebben al zo lang geen koekjes meer gebakken.

Duncan: Je hebt gelijk. Ik heb nu zin in koekjes.

Betty: Ik ook.

Duncan: Zou jij koekjes willen bakken?

Betty: Natuurlijk!

Duncan: Wat voor soort koekjes zullen we bakken?

Betty: Kunnen we twee verschillende soorten bakken?

Duncan: Natuurlijk! Welke soorten?

Betty: Ik wil chocolate chip koekjes en snickerdoodles.

Duncan: Oké. Hebben we bloem en suiker?

Betty: Nee, dat hebben we niet. Ik heb wel bevroren koekjesdeeg in de vriezer.

Duncan: Handig! Dat is makkelijk te bakken.

Betty: Alsjeblieft, hier heb je het. Heb je een bakplaat?

Duncan: Ja, die heb ik. Kijk, hier.

Betty: Geweldig! Zo, kun je de oven aanzetten?

Duncan: Ja.

Betty: Kun je de oven voorverwarmen op honderdtachtig graden?

Duncan: Oké. Wil jij me helpen met het koekjesdeeg?

Betty: Natuurlijk! Snij er een klein stukje af met een mes.

Duncan: Gelukt. Wat nu?

Betty: Maak van dat kleine stukje een balletje. Leg dat balletje daarna op de bakplaat.

Duncan: Oké. Kunnen we het koekjesdeeg ook opeten?

Betty: Nee.

Duncan: Maar koekjesdeeg is juist zo lekker!

Betty: Maar het is niet goed voor je!

BAKING COOKIES

Betty: We haven't baked cookies in a long time.

Duncan: You're right. I want cookies now.

Betty: Me too.

Duncan: Do you want to bake some?

Betty: Sure!

Duncan: What kind of cookies should we bake?

Betty: Can we bake two different kinds?

Duncan: Sure! Which kinds?

Betty: I want chocolate chip cookies and snickerdoodles.

Duncan: Awesome. Do we have any flour or sugar?

Betty: No, we don't. I have frozen cookie dough in the freezer.

Duncan: Perfect! Those are easy to bake.

Betty: Here you go. Do you have a baking pan?

Duncan: Yes, I do. Here it is.

Betty: Great! Now, can you turn on the oven?

Duncan: Yes.

Betty: Can you heat the oven to three hundred fifty degrees Fahrenheit?

Duncan: Okay. Do you want help with the cookie dough?

Betty: Sure! Cut a small piece with a knife.

Duncan: Got it. What now?

Betty: Make a ball with that small piece. Then, put the ball on the baking pan.

Duncan: Okay. Can we eat the cookie dough?

Betty: No.

Duncan: But the cookie dough is so delicious!

Betty: It's not good for you!

19

WALVISSEN KIJKEN

-

WHALE WATCHING (A1)

Janina: Ik heb zo'n zin om vandaag walvissen te gaan kijken!

Crisanto: Daar heb ik ook zin in.

Janina: Herinner je je nog toen we een paar jaar geleden walvissen gingen kijken? Toen zagen we er wel vijf of zes!

Crisanto: Dat was zo cool. Misschien hebben we vandaag weer geluk en zien we er weer een hoop!

Janina: Ik hoop het wel.

Crisanto: Heb jij je jas meegenomen? Het wordt een beetje koud.

Janina: Ja en ik heb ook een sjaal en handschoenen meegenomen.

Crisanto: Goed zo. O, de boot beweegt! Daar gaan we!

Janina: Joepie! Ik hoop ook dat we dolfijnen zien. We zagen de vorige keer zoveel dolfijnen!

Crisanto: Ik weet het. Ik hou van dolfijnen.

Janina: Ik ook. Ik denk dat het mijn lievelingsdier is.

Crisanto: Nog meer dan walvissen?

Janina: Ja.

Crisanto: Sst. Dat moet je niet zo hard zeggen. Dan worden de walvissen verdrietig.

Janina: Oeps, oké.

(30 minuten later ...)

Crisanto: Kijk!

Janina: Waar?

Crisanto: Daarzo!

Janina: Ik zie helemaal niks!

Crisanto: Daar is hij.

Janina: Ik zie hem! Zo cool!

Crisanto: Er zitten twee walvissen bij elkaar! En het lijkt alsof ze naar ons zwaaien!

Janina: Haha. Hoi, walvissen!

Crisanto: We zouden ieder jaar walvissen moeten gaan kijken!

Janina: Nou en of!

WHALE WATCHING

Janina: I'm so excited to go whale watching today!

Crisanto: I am, too.

Janina: Do you remember when we went whale watching a few years ago? We saw five or six whales!

Crisanto: That was so cool. Maybe we will be lucky again and see lots of whales today!

Janina: I hope so.

Crisanto: Did you bring your jacket? It will be a little cold.

Janina: Yes, and I brought a scarf and gloves, too.

Crisanto: Good. Oh, the boat is moving! Here we go!

Janina: Yay! I also hope we see dolphins We saw so many dolphins last time!

Crisanto: I know. I love dolphins.

Janina: Me too. I think they are my favorite animal.

Crisanto: More than whales?

Janina: Yeah.

Crisanto: Shh. Don't say that so loud. The whales will be sad.

Janina: Oops, okay.

(30 minutes later...)

Crisanto: Look!

Janina: Where?

Crisanto: Over there!

Janina: I don't see anything!

Crisanto: It's there.

Janina: I see it! So cool!

Crisanto: There are two whales together! And it looks like they're waving to us!

Janina: Ha ha. Hi, whales!

Crisanto: We should go whale watching every year!

Janina: I agree!

20

EEN LANGE VLUCHT

-

A LONG FLIGHT (A1)

Joanna: Bah, ik heb geen zin in deze vlucht.

Fred: Waarom niet?

Joanna: Omdat het tien uur lang duurt!

Fred: Ja, maar je kunt gewoon slapen.

Joanna: Ik kan niet slapen in het vliegtuig.

Fred: Echt niet?

Joanna: Nee. Jij wel?

Fred: Ja, ik kan prima slapen.

Joanna: Ik niet. Het is te oncomfortabel.

Fred: Wat doe jij dan op lange vluchten?

Joanna: Ik lees boeken en kijk films.

Fred: Raak je dan niet verveeld?

Joanna: Ja, natuurlijk wel. Maar vliegtuigen hebben tegenwoordig best goede films. Ik heb vorig jaar vier films gekeken tijdens mijn vlucht.

Fred: Wauw. Dat is veel! Welk soort films heb je gekeken?

Joanna: Een actiefilm, twee dramafilms en een verdrietige film. Ik probeer niet te veel verdrietige films te kijken tijdens vluchten, want ik huil nogal snel!

Fred: Haha, echt waar?

Joanna: Ja, het is gênant.

Fred: Tja, soms snurk ik als ik slaap in het vliegtuig! Ik denk dat dat gênanter is dan als je huilt.

Joanna: Ja, jij wint! Ik voel me al beter.

Fred: Haha. Ik ben blij dat ik kon helpen!

A LONG FLIGHT

Joanna: Ugh, I'm not excited about this flight.

Fred: Why not?

Joanna: Because it's ten hours long!

Fred: Yeah. But you can just sleep.

Joanna: I can't sleep on planes.

Fred: Really?

Joanna: No. Can you?

Fred: Yeah, I can sleep pretty well.

Joanna: I can't. I'm too uncomfortable.

Fred: What do you do on long flights?

Joanna: I read books and watch movies.

Fred: Do you get bored?

Joanna: Yeah, of course. But planes have pretty good movies these days. I watched four movies on my flight last year.

Fred: Wow. That's a lot of movies! What kind of movies did you watch?

Joanna: An action movie, two dramas, and one sad movie. I try not to watch sad movies on planes because I cry a lot!

Fred: Ha ha, really?

Joanna: Yeah. It's embarrassing.

Fred: Well, sometimes I snore when I sleep on planes! I think that's more embarrassing than crying.

Joanna: Yes, I think you win! I feel better now.

Fred: Ha ha. I'm glad I helped!

21

TOETSEN MAKEN

-

TAKING TESTS (A1)

Gabriëlle: Hallo, Luca. Wat ben je aan het doen?

Luca: Hoi, Gabriëlle. Ik ben aan het studeren. En jij?

Gabriëlle: Ik heb nu pauze tussen mijn lessen, dus ik ga even muziek luisteren.

Luca: Cool. Ik wil ook relaxen, maar ik moet studeren.

Gabriëlle: Wat studeer je?

Luca: Chinese geschiedenis.

Gabriëlle: O, dat klinkt moeilijk.

Luca: Ja, het is cool, maar het is wel redelijk moeilijk. Er zijn zoveel plaatsen en namen om te onthouden!

Gabriëlle: Wat voor een soort toets is het?

Luca: Met meerkeuzevragen, korte antwoorden en een schrijfopdracht.

Gabriëlle: Dat klinkt niet makkelijk!

Luca: Nee ... de professor is goed, maar haar lessen zijn pittig. Ik leer er wel veel van.

Gabriëlle: Dat is mooi. Hoe lang duurt de toets?

Luca: Anderhalf uur.

Gabriëlle: Mag je tijdens de toets je aantekeningen erbij houden?

Luca: Nee. We moeten alles uit het hoofd doen.

Gabriëlle: Ik begrijp het.

Luca: Jij hebt altijd goede cijfers voor je toetsen? Hoe krijg je dat voor elkaar?

Gabriëlle: Haha, niet altijd! Ik weet het niet. Ik denk dat ik gewoon veel studeer.

Luca: Ik studeer ook veel, maar heb soms toch lage cijfers. Ik ben niet goed in toetsen maken.

Gabriëlle: Ik kan je wel een paar studietips geven als je dat zou willen. Misschien heb je er wat aan.

Luca: Dat zou ik geweldig vinden!

TAKING TESTS

Gabrielle: Hey, Luca. What are you doing?

Luca: Hi, Gabrielle. I'm studying. What about you?

Gabrielle: I have a break between classes now, so I will sit and listen to some music.

Luca: Cool. I want to relax too, but I have to study.

Gabrielle: What are you studying?

Luca: Chinese history.

Gabrielle: Oh, that sounds hard.

Luca: Yeah. It's cool, but it's a little difficult. There are so many places and names to remember!

Gabrielle: What kind of test is it?

Luca: Multiple choice, short answer, and writing.

Gabrielle: That doesn't sound easy!

Luca: No… the professor is good but her class is tough. I'm learning a lot though.

Gabrielle: That's cool. How long is the test?

Luca: An hour and a half.

Gabrielle: Can you look at your notes during the test?

Luca: No. We have to memorize everything.

Gabrielle: I see.

Luca: You always get good grades on tests. How do you do it?

Gabrielle: Ha ha, not always! I don't know. I guess I study a lot.

Luca: I study a lot, too, but I get bad grades sometimes. I'm not good at tests.

Gabrielle: I can give you some study tips if you want. Maybe they will help you.

Luca: I would love that!

22

NAAR DE SPORTSCHOOL

-

LET'S GO TO THE GYM (A1)

Ron: Hoi Leslie. Ben je ergens mee bezig op het moment?

Leslie: Hoi Ron. Nee. Wat is er?

Ron: Ik wil naar de sportschool. Ga je mee?

Leslie: Ik weet het niet. Ik heb geen abonnement bij de sportschool.

Ron: Ik ook niet. Ik zit erover te denken om lid te worden van een sportschool.

Leslie: Oké.

Ron: Laten we dan samen lid worden!

Leslie: Tuurlijk! Bij welke sportschool zou jij willen?

Ron: Ik weet het niet zeker. Ik wil wel trainen, maar ik wil een leuke training.

Leslie: Houd je van klimmen?

Ron: Geen idee. Ik heb nog nooit geklommen.

Leslie: Er is vorige week een nieuwe klimschool geopend.

Ron: Dat is cool! Moet ik een goede klimmer zijn om erbij te gaan?

Leslie: Nee, dat hoeft niet. Iedereen kan lid worden.

Ron: Hoeveel kost het lidmaatschap?

Leslie: Ik denk dat het lidmaatschap ongeveer dertig euro per maand is. En de eerste week is gratis!

Ron: Dat is geweldig! Ik wist niet dat jij zoveel van klimmen hield.

Leslie: Ik hou er wel van, ja! Zullen we bij de klimschool gaan?

Ron: Oké! Heb ik dan klimschoenen nodig?

Leslie: Nee. Je kunt gewoon gymschoenen aan.

Ron: Heb ik speciale kleren nodig?

Leslie: Nee, dat is niet nodig. Je kunt gewoon normale sportkleding aan.

Ron: Oké. Dit is spannend!

Leslie: Dat is het zeker! Ben je klaar om te gaan?

Ron: Ja, laten we ervoor gaan!

LET'S GO TO THE GYM

Ron: Hi, Leslie. Are you busy right now?

Leslie: Hi, Ron. No, I'm not. What's up?

Ron: I want to go to the gym. Will you come with me?

Leslie: I don't know. I don't have a gym membership.

Ron: I don't either. I'm thinking of joining a gym.

Leslie: Okay.

Ron: Let's join one together!

Leslie: Sure! Which gym do you want to join?

Ron: I'm not sure. I want to exercise, but I want a fun workout.

Leslie: Do you like rock climbing?

Ron: I don't know. I have never gone rock climbing.

Leslie: A new rock-climbing gym opened up last week.

Ron: That's cool! Do I have to be good at rock climbing to join?

Leslie: No, you don't. Anyone can join.

Ron: How much is the membership?

Leslie: I think the membership is about thirty dollars a month. Also, the first week is free!

Ron: That's amazing! I didn't know you liked rock climbing.

Leslie: I do! Should we join the rock-climbing gym?

Ron: Okay! Do I need rock climbing shoes?

Leslie: No. You can wear sneakers.

Ron: Do I need special clothes?

Leslie: No, you don't. You can wear normal exercise clothes.

Ron: Okay. This is exciting!

Leslie: It is! Are you ready to go?

Ron: Yeah, let's do it!

23

ONZE REIS NAAR PARIJS

\-

OUR TRIP TO PARIS (A1)

Rachelle: Hoi Cesar!

Cesar: Hé, hoe gaat het met je? Ik heb de foto's van je vakantie gezien! Het zag er fantastisch uit!

Rachelle: Dat was het ook! Ik wilde niet meer naar huis.

Cesar: Dat verbaast me niks. Je hebt zoveel gave dingen gedaan! Ik vond vooral de foto's van het Louvre en Montmartre mooi.

Rachelle: Bedankt. Ik heb zo'n vijfhonderd foto's genomen tijdens mijn reis. Daarvan heb ik er maar een paar op social media gezet, maar ik ga een album maken met alle foto's. Je kunt langskomen om ze te bekijken.

Cesar: Dat zou geweldig zijn! Het eten zag er zo goed uit. Ik ben jaloers.

Rachelle: O, jongen. Het was hemel op aarde. Je weet hoeveel ik van wijn en kaas hou.

Cesar: Heb je wijn voor mij meegenomen?

Rachelle: Ik had geen plek in mijn koffer! Maar als je op bezoek komt om foto's te kijken kun je wat proeven.

Cesar: Geweldig! Waren de mensen er vriendelijk?

Rachelle: Ja. De meeste mensen waren super aardig.

Cesar: Waar heb je overnacht?

Rachelle: We verbleven in het 11^e arrondissement.

Cesar: Het 11^e wat?

Rachelle: Haha, arrondissement. Dat zijn soort stadswijken.

Cesar: O, cool. Hoe was dat?

Rachelle: Het was geweldig. Er waren goede restaurants in onze buurt.

Cesar: Nou, ik kan niet wachten om meer te horen over je reis!

Rachelle: Ja, ik zal je de foto's binnenkort laten zien!

OUR TRIP TO PARIS

Rachelle: Hi, Cesar!

Cesar: Hey, how are you? I saw the pictures of your vacation! It looked amazing!

Rachelle: It was! I didn't want to come home.

Cesar: I'm not surprised. You did so many cool things! I loved your pictures of the Louvre and Montmartre.

Rachelle: Thanks. I took about five hundred pictures on the trip. I only put some of them on social media, but I will make an album with all the photos. You can come over and look at it.

Cesar: I would love to! The food looked so good, too. I'm so jealous.

Rachelle: Oh my gosh. I was in heaven. You know I love wine and cheese.

Cesar: Did you bring me some wine?

Rachelle: I didn't have room in my suitcase! But you can have some when you come over and look at the pictures.

Cesar: Great! Were the local people friendly?

Rachelle: Yes. Most people were super nice.

Cesar: Where did you stay?

Rachelle: We stayed in the 11th arrondissement.

Cesar: The 11th a-what?

Rachelle: Ha ha, arrondissement. They're like neighborhoods.

Cesar: Oh, cool. How was it?

Rachelle: It was awesome. There were great restaurants in our neighborhood.

Cesar: Well, I can't wait to hear more about your trip!

Rachelle: Yes, I'll show you pictures soon!

24

HET IS TE HEET

-

IT'S TOO HOT (A1)

Carla: Bah, ik hou niet van de zomer.

Zhang-wei: Waarom niet?

Carla: Het is te heet.

Zhang-wei: Ja. Vooral in onze stad is het heet.

Carla: Ik wil verhuizen naar Finland.

Zhang-wei: Haha, echt?

Carla: Nou, ja. Maar ik spreek geen Fins. Dus misschien ga ik wel naar het noorden van Canada.

Zhang-wei: Ik weet zeker dat het daar mooi is.

Carla: Ja. En wat is jouw favoriete seizoen?

Zhang-wei: Ik hou eigenlijk wel van de zomer.

Carla: Echt waar?

Zhang-wei: Ja, maar als het te heet is ga ik ergens heen waar airconditioning is, zoals in het winkelcentrum of een koffiebar.

Carla: Ik probeer niet te vaak naar het winkelcentrum te gaan. Omdat ik dan al mijn geld uitgeef, als ik daar te lang blijf!

Zhang-wei: Haha, dat is waar. Ik laat mijn creditkaarten thuis als ik naar het winkelcentrum ga, zodat ik niet meer uit kan geven dan wat ik contant meeneem.

Carla: O, wauw. Dat is echt een goed idee. Ik denk dat ik dat ook ga doen.

Zhang-wei: Ja, als je in Canada woont, kun je jouw Canadese dollars meenemen naar het winkelcentrum. Dan heb je het niet heet *en* je bespaart een berg geld!

Carla: Dit idee begint steeds beter te klinken! Bedankt, Zhang-wei! Haha.

Zhang-wei: Graag gedaan! Kan ik op bezoek komen in Canada?

Carla: Uiteraard! Je kunt zo lang als je wilt in mijn huis blijven.

Zhang-wei: Super!

IT'S TOO HOT

Carla: Ugh, I don't like the summer.

Zhang-wei: Why not?

Carla: It's too hot.

Zhang-wei: Yeah. It's especially hot in our city.

Carla: I want to move to Finland.

Zhang-wei: Ha ha, really?

Carla: Well, yes. But I don't speak Finnish. So maybe I'll move to northern Canada.

Zhang-wei: I'm sure it's beautiful.

Carla: Yep. So, what's your favorite season?

Zhang-wei: I love the summer, actually.

Carla: Really?

Zhang-wei: Yes. But when it's too hot I just hang out somewhere with air conditioning, like the mall or a coffee shop.

Carla: I try not to go to the mall so much, because whenever I'm there for a long time, I spend all my money!

Zhang-wei: Ha ha, true. I leave my credit cards at home when I go to the mall, so I can't spend more than the cash I bring with me.

Carla: Oh, wow. That's a really good idea. I think I will do that.

Zhang-wei: Yeah, when you live in Canada, you can take your Canadian dollars to the mall. You won't be hot *and* you will save a lot of money!

Carla: This idea is sounding better and better! Thanks, Zhang-wei! Ha ha.

Zhang-wei: No problem! Can I visit you in Canada?

Carla: Of course! You can stay at my place as long as you would like.

Zhang-wei: Great!

25

SLAAPSTIJLEN

-

SLEEPING STYLES (A1)

Irina: Hoi, Wes. Je ziet er goed uit! Heb je je haar laten knippen?

Wes: O, dank je! Nee, dat is het niet. Ik heb erg goed geslapen. Is dat misschien waarom ik er anders uitzie?

Irina: Ja, misschien! Je ziet er uitgerust uit!

Wes: Wauw, ik heb genoeg geslapen *en* ik zie er goed uit? Dit is mijn beste dag ooit.

Irina: Nou, ik ben blij dat je hebt kunnen slapen. Hoeveel uur slaap jij normaal gesproken?

Wes: Vijf of zes uur, ofzo. Ik ben zo druk tegenwoordig. Daardoor slaap ik slecht.

Irina: Ja, je bent net met een nieuwe baan begonnen, toch?

Wes: Ja. En ik heb van mijn eerste loon een nieuwe matras gekocht. Ik vind het heerlijk!

Irina: O, echt? Waarom is die zo fijn?

Wes: Hij is de perfecte combinatie van zacht en stevig. Hij is zo comfortabel. En ik heb er ook nieuwe kussens bij genomen.

Irina: Dat klinkt geweldig. Mijn matras is zo oud! Misschien is dat waarom ik niet zo goed slaap.

Wes: Misschien! Ik realiseerde me niet dat een nieuwe matras je zoveel kan helpen om goed te slapen.

Irina: Wauw. Misschien moet ik een nieuwe matras kopen!

Wes: Ik raad het van harte aan!

SLEEPING STYLES

Irina: Hi, Wes. You look great! Did you get a haircut?

Wes: Oh, thanks! No, I didn't. I slept really well. Maybe that's why I look different?

Irina: Yes, maybe! You look well-rested!

Wes: Wow, I got enough sleep *and* I look good? This is the best day ever.

Irina: Well I'm happy you got some sleep. How many hours of sleep do you usually get?

Wes: Maybe five or six hours. I am so busy these days, so it's hard to sleep.

Irina: Yeah, you just started a new job, right?

Wes: Yes. And I decided to buy a new mattress with my first paycheck. And I love it!

Irina: Oh, really? Why do you love it?

Wes: It's the perfect combination of soft and firm. It's so comfortable. And I got some new pillows too.

Irina: That sounds amazing. My mattress is so old! Maybe that's why I don't sleep very well.

Wes: Maybe! I didn't realize that a new mattress can help you sleep so well.

Irina: Wow. Maybe I should buy a new mattress!

Wes: I highly recommend it!

26

IETS TERUGBRENGEN NAAR DE WINKEL
-
RETURNING AN ITEM TO THE STORE (A2)

Divya: Hallo, hoe kan ik u helpen?

Mikhail: Ik zou dit overhemd graag willen teruggeven.

Divya: Oké. Is er iets mis met het overhemd?

Mikhail: Ja. Nadat ik het had gekocht merkte ik dat er een klein gaatje in de rechtermouw zit.

Divya: Ik snap het. Het spijt me om dat te horen. Heeft u het bonnetje?

Mikhail: Nee. Dat is het probleem. Ik heb het bonnetje weggegooid.

Divya: O, ik snap het. Nou, het prijskaartje zit er nog steeds aan, dus dat is in orde. Normaal gesproken vragen we om het bonnetje bij teruggave. Maar omdat er iets met het overhemd aan de hand is en het prijskaartje er nog aan zit, zullen we de teruggave accepteren.

Mikhail: Heel hartelijk bedankt.

Divya: Natuurlijk. Onze excuses voor het ongemak.

Mikhail: Dat geeft niks. Ik hou van deze winkel en jullie hebben altijd nette klantenservice.

Divya: Dankuwel! Heeft u ook de creditkaart die u gebruikt heeft om het overhemd te kopen?

Mikhail: Ja, die heb ik hier.

Divya: Dankuwel. U kunt de kaart hier insteken.

Mikhail: Oké.

Divya: En u kunt direct op het scherm uw handtekening zetten.

Mikhail: Komt het geld dan terug op mijn kaart?

Divya: Ja. U krijgt een terugstorting binnen vierentwintig uur. Wilt u een bonnetje?

Mikhail: Ja, alstublieft! En deze keer zal ik het niet weggooien.

Divya: Haha, goed zo! Een fijne dag verder!

Mikhail: Bedankt, u ook.

RETURNING AN ITEM TO THE STORE

Divya: Hello, how can I help you?

Mikhail: I would like to return this shirt.

Divya: Okay. Was something wrong with the shirt?

Mikhail: Yes. I noticed after I bought it that there is a small hole on the right sleeve.

Divya: I see. I'm sorry to hear about that. Do you have the receipt?

Mikhail: No. That's the problem. I threw away the receipt.

Divya: Oh, I see. Well, the price tag is still on it, so that's good. Usually we require the receipt for returns. But because there was a problem with the shirt and the price tag is still on it, we will accept the return.

Mikhail: Thanks so much.

Divya: Of course. I'm sorry for the inconvenience.

Mikhail: It's fine. I like this store and you guys always have good customer service.

Divya: Thank you! Do you have the credit card that you used to buy the shirt?

Mikhail: Yes, here it is.

Divya: Thank you. You can insert the card here.

Mikhail: Okay.

Divya: And sign right there on the screen.

Mikhail: Will the money go back onto my card?

Divya: Yes. You will get a refund within twenty-four hours. Would you like a receipt?

Mikhail: Yes, please! And this time I won't throw it away.

Divya: Ha ha, good! Have a good day!

Mikhail: Thanks; you too.

27

IN DE SUPERMARKT

-

AT THE GROCERY STORE (A2)

Seo-yeon: Wat hebben we nodig?

Max: Sla, tomaten, uien, appels, yoghurt, mosterd …

Seo-yeon: Laten we beginnen met groente en fruit. Hoeveel tomaten hebben we nodig?

Max: Vier.

Seo-yeon: Oké.

Max: Hier zijn vier tomaten.

Seo-yeon: Die ene is niet rijp.

Max: O, ik zie het. Wat denk je van deze?

Seo-yeon: Die is goed. Hoeveel uien hebben we nodig?

Max: Eentje maar.

Seo-yeon: Rood of wit?

Max: Uhm … rood.

Seo-yeon: En wat voor een soort sla?

Max: Laten we bindsla meenemen.

Seo-yeon: Okido. O, laten we ook een aantal wortels en selderij meenemen.

Max: Selderij hebben we al in huis.

Seo-yeon: Hebben we dat al?

Max: Ja.

Seo-yeon: En is die nog steeds goed?

Max: Ik denk het wel.

Seo-yeon: Mooi zo. Daar liggen de appels.

Max: Ik zal er een paar halen.

Seo-yeon: Moeten we ook spullen hebben voor het avondeten op donderdag en vrijdag?

Max: Ja, wat zullen we halen?

Seo-yeon: Pasta en kip misschien?

Max: Wat voor een soort pasta?

Seo-yeon: Penne?

Max: Oké, prima. Wat voor een soort sausje zullen we maken?

Seo-yeon: Laten we een pittige tomatensaus doen.

Max: Oeh, dat klinkt goed. En wat doen we met de kip?

Seo-yeon: Ik heb een recept gezien voor kippenborst met zure room, Parmezaanse kaas en een paar eenvoudige kruiden. Het is heel makkelijk te maken.

Max: Dat klinkt goed! Laten we dat maken.

Seo-yeon: Perfect! Zullen we de ingrediënten gaan zoeken?

AT THE GROCERY STORE

Seo-yeon: What do we need?

Max: Lettuce, tomatoes, onions, apples, yogurt, mustard...

Seo-yeon: Let's start with the fruits and veggies. How many tomatoes do we need?

Max: Four.

Seo-yeon: Okay.

Max: Here are four tomatoes.

Seo-yeon: That one isn't ripe.

Max: Oh, I see. What about this one?

Seo-yeon: That one's good. How many onions do we need?

Max: Just one.

Seo-yeon: Red or yellow?

Max: Umm... red.

Seo-yeon: And what kind of lettuce?

Max: Let's get romaine.

Seo-yeon: All right. Oh, let's get some carrots and celery too.

Max: We already have celery at home.

Seo-yeon: We do?

Max: Yeah.

Seo-yeon: And it's still good?

Max: I think so.

Seo-yeon: Great. There are the apples.

Max: I'll get a few.

Seo-yeon: Should we get stuff for dinner on Thursday and Friday?

Max: Yeah, what should we get?

Seo-yeon: Maybe pasta and some chicken?

Max: What kind of pasta?

Seo-yeon: Penne?

Max: Okay, sure. What kind of sauce should we make?

Seo-yeon: Let's do a spicy tomato sauce.

Max: Ooh, that sounds good. And what should we do with the chicken?

Seo-yeon: I saw a recipe for chicken breasts with sour cream, Parmesan cheese, and a few simple seasonings. It's very easy to make.

Max: Sounds good! Let's make that.

Seo-yeon: Perfect! Let's get the ingredients.

28

OP ZOEK NAAR EEN APPARTEMENT
-
LOOKING FOR APARTMENTS (A2)

Lina: We moeten op zoek naar een appartement.

Vicente: Oké. In welke wijken zullen we kijken?

Lina: Ik denk dat we ons moeten richten op North Park, Hillcrest en Normal Heights.

Vicente: Wat denk je van South Park?

Lina: Ik denk dat South Park net wat te duur is. Zullen we een paar websites bekijken?

Vicente: Goed idee.

Lina: Kijk eens naar dit appartement. Het heeft één slaapkamer met een grote woonkamer. En het is maar dertienhonderd euro per maand.

Vicente: Dat is goedkoop. Waar is het?

Lina: Het is in North Park. En het appartementencomplex heeft een zwembad!

Vicente: O, lekker! Zijn honden toegestaan?

Lina: O, oeps. Dat was ik vergeten. We hebben een hond.

Vicente: Hoe kon je dat vergeten?!

Lina: Ik weet het niet. Hmm … hier is een ander appartement. Deze is in Hillcrest en honden zijn toegestaan. Maar het heeft geen zwembad.

Vicente: Dat is niet erg. We hebben geen zwembad nodig. Hoeveel is de huur?

Lina: Die is veertienhonderdvijftig euro per maand.

Vicente: Dat is wel wat aan de dure kant.

Lina: Ja, dat klopt, maar de omgeving is echt heel fijn en het appartement heeft ook nog eens twee parkeerplekken.

Vicente: O, dat is mooi. Parkeren kan in die buurt wel moeilijk zijn!

Lina: Ja, dat is waar.

Vicente: Zullen we contact met ze opnemen?

Lina: Ja, doen we. Ik stuur ze vast een e-mail.

Vicente: Geweldig! Maar laten we verder blijven zoeken naar andere appartementen.

Lina: Ja, goed idee.

LOOKING FOR APARTMENTS

Lina: We need to look for an apartment.

Vicente: Okay. What neighborhoods should we look in?

Lina: I think we should focus on North Park, Hillcrest, and Normal Heights.

Vicente: What about South Park?

Lina: I think South Park is a little too expensive. Let's look at some websites.

Vicente: Good idea.

Lina: Look at this apartment. It's a one-bedroom with a big living room. And it's only $1,300 a month.

Vicente: That's cheap. Where is it?

Lina: It's in North Park. And the apartment complex has a pool!

Vicente: Oh, nice! Does it allow dogs?

Lina: Oh, oops. I forgot about that. We have a dog!

Vicente: How could you forget that?!

Lina: I don't know. Hmm... here is another apartment. This one is in Hillcrest and it allows dogs. But it doesn't have a pool.

Vicente: That's okay. We don't need a pool. How much is the rent?

Lina: It's $1,450 a month.

Vicente: That's a little expensive.

Lina: Yeah, it is. But the area is really nice and the apartment has two parking spaces too.

Vicente: Oh, that's good. Parking can be difficult in that neighborhood!

Lina: Yes, that's true.

Vicente: Should we contact them?

Lina: Yes, we should. I'll send them an email now.

Vicente: Great! But let's keep looking for more apartments.

Lina: Yes, good idea.

29

GEZOND ETEN

-

EATING HEALTHILY (A2)

Catherine: Ik wil meer gezond voedsel eten.

Greg: Maar jij eet toch al gezond, of niet?

Catherine: Echt niet! Ik eet zoveel junk food. En niet genoeg fruit en groenten.

Greg: Maar je bent jong. Je kunt ook als je ouder bent meer gezond voedsel gaan eten.

Catherine: Nee, het is belangrijk om nu te beginnen.

Greg: Oké. Dus wat ga je eten?

Catherine: Nou, voor het ontbijt ga ik havermout of fruit of yoghurt nemen. En misschien thee drinken.

Greg: Dat klinkt saai.

Catherine: Er is zoveel heerlijk fruit en er zijn lekkere yoghurtjes! Havermout is een beetje saai, maar ik doe er fruit en bruine suiker bij. Dat maakt het lekkerder.

Greg: Ik begrijp het. Wat ga je tussen de middag eten?

Catherine: Salade, groentes, misschien wat rijst.

Greg: Zit je vol nadat je salade eet?

Catherine: Ja, als die groot is.

Greg: En wat wordt je avondeten?

Catherine: Groente, kip, bonen, sla ... dat soort dingen.

Greg: O, ik hou van kip!

Catherine: Ik ook.

Greg: Hmm ... misschien moet ik dit gezonde dieet ook maar een poosje proberen.

Catherine: Echt? Maar jij denkt dat het meeste gezonde eten saai is.

Greg: Ja, maar jij inspireert me. Ik wil gezond zijn, net als jij.

Catherine: Haha wauw! Oké … laten we samen gezond gaan doen!

Greg: Woehoe!

EATING HEALTHILY

Catherine: I want to eat more healthy foods.

Greg: But you already eat healthy foods, right?

Catherine: No way! I eat so much junk food. And I don't eat enough fruits and vegetables.

Greg: But you're young. You can start eating more healthy foods later when you're older.

Catherine: No, it's important to start now.

Greg: Okay. So, what will you eat?

Catherine: Well, for breakfast I will eat oatmeal or fruit or yogurt. And maybe drink some tea.

Greg: That sounds boring.

Catherine: There are many delicious fruits and yogurts! Oatmeal is a little boring, but I add fruit and brown sugar to it. That makes it tastier.

Greg: I see. What will you eat for lunch?

Catherine: Salad, vegetables, maybe some rice.

Greg: Will you feel full after eating salad?

Catherine: Yes, if it is big.

Greg: And what will you eat for dinner?

Catherine: Vegetables, chicken, beans, salad... things like that.

Greg: Oh, I like chicken!

Catherine: Me too.

Greg: Hmm... maybe I'll try this healthy diet for a short time.

Catherine: Really? But you think most healthy food is boring.

Greg: Yeah, but you are inspiring me. I want to be healthy like you.

Catherine: Ha ha wow! Okay... let's get healthy together!

Greg: Woohoo!

30

EEN BRUILOFT PLANNEN

-

PLANNING A WEDDING (A2)

Sara: Ik heb zoveel zin in onze bruiloft!

Patrick: Ik ook!

Sara: We hebben maar een jaar om het te plannen, dus we zouden gelijk moeten beginnen.

Patrick: Een jaar is een lange periode!

Sara: Niet echt! Het vliegt zo voorbij.

Patrick: Hmm, tja. Dus wat zullen we als eerste doen?

Sara: Laten we het hebben over de omvang van onze bruiloft. Hoeveel mensen zullen we uitnodigen?

Patrick: Hmm, tweehonderd misschien?

Sara: Tweehonderd?! Dat zijn er veel!

Patrick: Echt? Dat is toch normaal?

Sara: Ik denk dat honderd of honderdvijftig normaler is.

Patrick: Prima. Honderdvijftig dan.

Sara: En waar wil je trouwen? Op het strand? In een park? Een hotel?

Patrick: Ik heb altijd al op het strand willen trouwen.

Sara: Ik ook! Kijk! Dat is waarom ik van je hou. Wat voor soort eten zullen we serveren?

Patrick: Ik wil steak en sushi!

Sara: Steak en sushi? Ik denk dat dat duur gaat worden!

Patrick: Oké … misschien alleen steak dan?

Sara: Hmm… laten we het daar later over hebben. Wat denk je over de muziek?

Patrick: Ik wil een DJ, zodat we de hele avond kunnen dansen!

Sara: Weet je zeker dat je wil dat al je vrienden en familie je zien dansen?

Patrick: Haha, wat wil je daarmee zeggen?

Sara: Nou, dat ik met je trouw vanwege je prachtige hart en persoonlijkheid, niet omdat je zo'n goede danser bent!

Patrick: Au!

PLANNING A WEDDING

Sara: I'm so excited for our wedding!

Patrick: Me too!

Sara: We only have a year to plan it, so we should start planning now.

Patrick: A year is a long time!

Sara: Not really! It will go very fast.

Patrick: Hmm, yeah. So, what should we do first?

Sara: Let's talk about the size of the wedding. How many people should we invite?

Patrick: Hmm, maybe two hundred?

Sara: Two hundred?! That's so many!

Patrick: Really? That's normal, right?

Sara: I think one hundred or one hundred fifty is more normal.

Patrick: All right. Maybe one hundred fifty.

Sara: And where do you want to get married? The beach? A park? A hotel?

Patrick: I have always wanted to get married at the beach.

Sara: Me too! See? This is why I love you. What kind of food should we serve?

Patrick: I want steak and sushi!

Sara: Steak and sushi? I think that will be expensive!

Patrick: Okay... maybe just steak?

Sara: Hmmm... let's talk about that later. What about music?

Patrick: I want a DJ so we can dance all night!

Sara: Are you sure you want all your friends and family to see you dance?

Patrick: Ha ha, what are you saying?

Sara: Well, I'm marrying you for your wonderful heart and personality, not for your dancing skills!

Patrick: Ouch!

31

IK MOET NAAR DE KAPPER

-

I NEED A HAIRCUT (A2)

Yesenia: Ik moet naar de kapper.

Matthew: Ik vind dat je haar er goed uitziet.

Yesenia: Ja, het ziet er niet slecht uit, maar het is te lang.

Matthew: Hoeveel wil je eraf laten knippen?

Yesenia: Maar een paar centimeter.

Matthew: Dat is niet heel veel. Als je toch al betaalt voor een knipbeurt, dan kun je wel iets dramatischers doen.

Yesenia: Maar ik wil het niet te veel veranderen!

Matthew: Waarom wil je het dan laten knippen?

Yesenia: Omdat ik mijn haar gezond wil houden.

Matthew: O, ik snap het. Hoeveel gaat het dan kosten?

Yesenia: Normaal kost het rond de vijfenveertig euro.

Matthew: Vijfenveertig euro! Dat is ongelofelijk duur!

Yesenia: Dat is de gemiddelde prijs voor een knipbeurt voor vrouwen in deze stad.

Matthew: Wauw, ik ben blij dat ik een man ben. Hoeveel kost het om je haar te laten verven?

Yesenia: Dat hangt ervan af wat je doet, maar rond de honderd euro.

Matthew: Honderd euro?! Ik kan niet geloven hoe mensen zoveel geld aan hun haar kunnen uitgeven.

Yesenia: Ja, het is veel geld. Maar als mijn haar goed zit, ben ik blij.

Matthew: Tja, en als jij blij bent, ben ik ook blij. Dus deze knipbeurt is goed voor ons allebei!

Yesenia: Haha. Prima, ik zal gelijk een afspraak maken.

Matthew: Goed zo!

I NEED A HAIRCUT

Yesenia: I need to get a haircut.

Matthew: I think your hair looks fine.

Yesenia: Yeah, it doesn't look bad, but it's too long.

Matthew: How much will you cut?

Yesenia: Just a couple inches.

Matthew: That's not very much. If you're already paying for a cut, you should do something more dramatic.

Yesenia: But I don't want to change it very much!

Matthew: So why do you want to cut it?

Yesenia: Because I want to keep my hair healthy.

Matthew: Oh, I see. So how much will it cost?

Yesenia: It usually costs around forty-five dollars.

Matthew: Forty-five dollars! That's so expensive!

Yesenia: That's the average cost for women's haircuts in this city.

Matthew: Wow, I'm glad I'm a guy. How much does it cost to dye your hair?

Yesenia: It depends on what you do, but around one hundred dollars.

Matthew: One hundred dollars?! I can't believe how much some people spend on their hair.

Yesenia: Yeah, it's a lot. But when my hair looks good, I'm happy.

Matthew: Well, when you're happy, I'm happy. So, this haircut is good for both of us!

Yesenia: Ha ha. All right, I will make the appointment now.

Matthew: Great!

32

NAAR HET AQUARIUM
-
GOING TO AN AQUARIUM (A2)

Kylie: Laten we vandaag naar het aquarium gaan.

Darren: Dat is een goed idee! Naar welke?

Kylie: Sunshine Aquarium. Die is nieuw.

Darren: O, echt? Cool. Hoe laat zullen we vertrekken?

Kylie: Laten we om half tien vertrekken. Ik wil aankomen voordat ze open zijn.

Darren: Waarom wil je daar zo vroeg aankomen?

Kylie: Omdat het aquarium zo populair is en er veel mensen komen.

Darren: Oké. Moeten we online tickets kopen of bij het aquarium?

Kylie: We kunnen de tickets online kopen of bij het aquarium, maar het is twee euro goedkoper als we ze online kopen.

Darren: O, ik snap het. Laten we de kaartjes dan online kopen. Dat zal ik wel doen. Wat is de website?

Kylie: www.sunshineaquarium.com

Darren: In orde. Zullen we de gewone kaartjes voor volwassenen kopen of de kaartjes voor volwassenen met de rondleiding?

Kylie: Doe maar de gewone kaartjes voor volwassenen.

Darren: Prima. Ik zal mijn rekening gebruiken.

Kylie: Super, dankjewel! Dan betaal ik de lunch.

(In het aquarium)

Darren: Waar zullen we eerst heengaan?

Kylie: Laten we de kwallen bekijken!

Darren: Oké! Kwallen zijn zo cool. Maar ze zijn ook een beetje eng.

Kylie: Mee eens. Ik zie ze dan ook liever in een aquarium. Niet in de zee!

Darren: Haha, ik ook.

Kylie: Kijk die eens! Die is zo groot!

Darren: Wauw!

Kylie: Wat zullen we nu gaan bekijken?

Darren: Laten we naar de octopussen gaan kijken!

Kylie: Bah… Ik haat octopussen. Jij mag daar wel heen. Ik ga de roggen bekijken.

Darren: Dat is goed. Tot straks!

GOING TO AN AQUARIUM

Kylie: Let's go to the aquarium today.

Darren: That's a good idea! Which one?

Kylie: Sunshine Aquarium. It's new.

Darren: Oh, really? Cool. What time should we leave?

Kylie: Let's leave at nine thirty. I want to arrive before they open.

Darren: Why do you want to arrive so early?

Kylie: Because the aquarium is popular and many people will be there.

Darren: Okay. Do we buy tickets online or at the aquarium?

Kylie: We can buy tickets online or at the aquarium, but it's two dollars cheaper if we buy them online.

Darren: Oh, I see. Let's buy the tickets online. I will do it. What's the website?

Kylie: www.sunshinesquarium.com

Darren: All right. Should we buy the regular adult tickets or the adult tickets with the tour?

Kylie: Just the regular adult tickets.

Darren: Cool. I will use my debit card.

Kylie: Great, thanks! I will buy lunch.

(At the aquarium)

Darren: Where should we go first?

Kylie: Let's see the jellyfish!

Darren: Okay! Jellyfish are so cool. But they are also a little scary.

Kylie: I agree. I like to see them in an aquarium. Not in the ocean!

Darren: Ha ha, me too.

Kylie: Look at that one! It's so big!

Darren: Wow!

Kylie: What should we see next?

Darren: Let's look at the octopuses!

Kylie: Eww... I hate octopuses. You can go there. I will go check out the stingrays.

Darren: That works for me. See you soon!

33

DEZE KOFFIE IS NIET HEET

-

THIS COFFEE IS NOT HOT (A2)

Cynthia: Pardon. Deze koffie is niet erg heet. Kan ik een andere krijgen?

Victor: O, dat is vreemd. Ik heb hem net gemaakt.

Cynthia: Misschien is er een probleem met de machine?

Victor: Dat denk ik niet. Maar natuurlijk, ik maak een nieuwe koffie voor u.

Cynthia: Dank u! Misschien ligt het aan mij? Ik hou van hele hete koffie.

Victor: O, echt?

Cynthia: Ja. Hete koffie vind ik gewoon beter smaken!

Victor: Interessant. Ik hou eigenlijk meer van ijskoffie.

Cynthia: Ik hou ook van ijskoffie, maar alleen als het buiten heet is.

Victor: Ja. Ik ben een beetje apart.

Cynthia: Haha. Nou, dat zijn we dan allebei een beetje.

Victor: Ja, wellicht! Hier is uw nieuwe koffie. Ik heb hem extra heet proberen te maken.

Cynthia: Oh wauw! Deze is heet! Ik denk dat deze eigenlijk te heet is! Ik wacht een paar minuten voordat ik hem opdrink.

Victor: Ja, wees voorzichtig. Ik zou niet willen dat u zichzelf brandt.

Cynthia: Ik ook niet. Toch hou ik van de geur. Wat voor een soort koffie is dit?

Victor: Deze komt uit Guatemala. Hij is goed, hè?

Cynthia: Ja, heel erg goed. Oké, de koffie is afgekoeld. Ik kan hem nu drinken.

Victor: Goed zo! Dan wordt het € 4,05 in totaal.

Cynthia: Hier heeft u vijf euro.

Victor: Bedankt. Uw wisselgeld, € 0,95. Geniet van uw hete koffie en een fijne dag verder!

Cynthia: Bedankt! En dank u voor het maken van een nieuwe koffie.

Victor: Graag gedaan.

THIS COFFEE IS NOT HOT

Cynthia: Excuse me. This coffee is not very hot. Can I get another one?

Victor: Oh, that's weird. I just made it.

Cynthia: Maybe there is a problem with the machine?

Victor: I don't think so. But sure, I can make you another coffee.

Cynthia: Thank you! Maybe it's just me? I like very hot coffee.

Victor: Oh, really?

Cynthia: Yes. Hot coffee just tastes better to me!

Victor: Interesting. I actually prefer iced coffee.

Cynthia: I like iced coffee, but only when it's hot outside.

Victor: Yeah. I'm kind of strange.

Cynthia: Ha ha. Well, maybe we are both strange.

Victor: Yes, maybe! Here is your new coffee. I tried to make it extra hot.

Cynthia: Oh wow! This is hot! I think it's actually too hot! I will wait a couple minutes to drink it.

Victor: Yes, please be careful. I don't want you to burn yourself.

Cynthia: Me neither. I like the flavor, though. What kind of coffee is this?

Victor: It's from Guatemala. It's good, right?

Cynthia: Yes, it's very good. Okay, the coffee has cooled down. I can drink it now.

Victor: Good! So, your total will be $4.05.

Cynthia: Here is five dollars.

Victor: Thanks. Your change is $.95. Enjoy your hot coffee and have a good day!

Cynthia: Thanks! And thank you for making me a new coffee.

Victor: No problem.

34

PLANNEN VOOR OUDEJAARSAVOND
-
NEW YEAR'S EVE PLANS (A2)

Rob: Hé Hallie! Wat ga jij doen op oudejaarsavond?

Hallie: Hoi Rob! Ik weet het nog niet. Wat ga jij doen?

Rob: Ik ga naar een vriend van me voor een feestje. Wil je met me meekomen?

Hallie: Uiteraard! Wie is die vriend? Waar woont hij?

Rob: Het is bij mijn vriend Ryan. Ik werk met hem. Zijn huis staat vlak bij het strand.

Hallie: O, cool! Hoeveel mensen komen er?

Rob: Ik denk een stuk of twintig, dertig.

Hallie: Wauw, dat zijn er veel.

Rob: Ja, Ryan heeft veel vrienden! Haha.

Hallie: Zo klinkt het inderdaad. Zal ik iets meebrengen?

Rob: Als je wil, kun je drankjes of snacks meebrengen om met de andere mensen te delen.

Hallie: Dat kan ik wel doen. Wat voor een soort drankjes zal ik meebrengen?

Rob: Misschien bier of wijn?

Hallie: Oké! Wauw, ik ben blij dat ik jou tegen ben gekomen! Ik had geen plannen voor oudejaarsavond en ik was verdrietig!

Rob: Ahh, ik ben ook blij! Ik had vorig jaar eigenlijk ook niks gedaan voor oud en nieuw, dus ik ben blij dat ik dit jaar iets te doen heb.

Hallie: Echt? Waarom had je niks gedaan?

Rob: Ik was heel erg ziek!

Hallie: O nee! Dat is verschrikkelijk.

Rob: Ja. Het geeft niet. Ik heb 'ten minste geld bespaard.

Hallie: Haha. Dat is waar! Nou, tot ziens op het feestje!

Rob: Goed, tot dan!

NEW YEAR'S EVE PLANS

Rob: Hey, Hallie! What will you do for New Year's Eve?

Hallie: Hi, Rob! I don't know yet. What will you do?

Rob: I will go to my friend's house for a party. Do you want to come with me?

Hallie: Sure! Who is your friend? Where is the house?

Rob: It's my friend Ryan. I work with him. His house is near the beach.

Hallie: Oh, cool! How many people will be there?

Rob: I think twenty or thirty.

Hallie: Wow, that's a lot.

Rob: Yeah, Ryan has a lot of friends! Ha ha.

Hallie: It sounds like it. Do I need to bring anything?

Rob: If you want, you can bring some drinks or snacks for people to share.

Hallie: I can do that. What kind of drinks should I bring?

Rob: Maybe some beer or wine?

Hallie: Okay! Wow, I'm glad I saw you! I didn't have any plans for New Year's Eve and I was sad!

Rob: Aww, I'm glad too! Actually, last year I didn't do anything for New Year's, so I'm happy I can do something this year.

Hallie: Really? Why didn't you do anything?

Rob: I was really sick!

Hallie: Oh no! That's terrible.

Rob: Yeah. It's okay. At least I saved money.

Hallie: Ha ha. True! Well, I'll see you at the party!

Rob: Yep, see you there!

35

WAT IK VANNACHT DROOMDE

-

MY DREAM LAST NIGHT (A2)

Abdullah: Ik heb vannacht heel vreemd gedroomd!

Francesca: Werkelijk? Waar ging het over?

Abdullah: Ik was op een boerderij en er waren heel veel vreemde dieren. Er waren normale dieren, zoals geiten, varkens en koeien, maar er waren ook zebra's, kangaroes en zelfs een tijger.

Francesca: Wauw, dat is een interessante boerderij.

Abdullah: Jazeker. En sommige zebra's hadden verschillende kleuren strepen. Sommige waren blauw, sommige waren paars. En sommige hadden regenboogstrepen!

Francesca: Haha, echt?

Abdullah: En toen begon de tijger tegen me te praten. Maar hij sprak Spaans.

Francesca: Spaans? Wat zei hij dan?

Abdullah: Geen idee! Ik spreek geen Spaans!

Francesca: O, natuurlijk. Dus hoe weet je dat hij Spaans sprak?

Abdullah: Nou, ik weet hoe Spaans klinkt.

Francesca: Oh. En wat gebeurde er toen?

Abdullah: Dat kan ik me niet meer herinneren.

Francesca: Heb je altijd zulke vreemde dromen?

Abdullah: Ja, maar niet *zo* vreemd.

Francesca: Denk je dat dromen iets betekenen?

Abdullah: Soms. Wat denk jij?

Francesca: Ik denk het wel. Misschien wil je meer vrienden in je leven.

Abdullah: Ik heb al veel vrienden!

Francesca: Misschien zijn je vrienden saai en wil je meer interessante vrienden. Zoals de met regenboog gestreepte zebra's.

Abdullah: Haha, misschien!

MY DREAM LAST NIGHT

Abdullah: I had a very weird dream last night!

Francesca: Really? What was it about?

Abdullah: I was on a farm and there were a lot of strange animals. There were normal animals like goats, pigs, and cows, but then there were also zebras, kangaroos, and even a tiger.

Francesca: Wow, that's an interesting farm.

Abdullah: Yeah. And some of the zebras had different colored stripes. Some were blue, some were purple. And some were rainbow-striped!

Francesca: Ha ha, really?

Abdullah: And then the tiger talked to me. But it spoke in Spanish.

Francesca: Spanish?? What did it say?

Abdullah: I don't know! I don't speak Spanish!

Francesca: Oh, right. So how do you know it was speaking Spanish?

Abdullah: Well, I know what Spanish sounds like.

Francesca: Oh. Then what happened?

Abdullah: I don't remember.

Francesca: Do you always have weird dreams?

Abdullah: Yeah, but not *this* weird.

Francesca: Do you think dreams mean anything?

Abdullah: Sometimes. What about you?

Francesca: I think so. Maybe you want more friends in your life.

Abdullah: I have a lot of friends!

Francesca: Maybe your friends are boring and you want more interesting friends. Like rainbow-striped zebras.

Abdullah: Ha ha, maybe!

36

KLAAR MAKEN OM NAAR SCHOOL TE GAAN

-

GETTING READY FOR SCHOOL (A2)

Grace: Schat, het is tijd om wakker te worden!

Christopher: Ahh. Nog vijf minuten.

Grace: Dat zei je vijf minuten geleden ook al. Het is tijd om op te staan, liefje.

Christopher: Ahh, oké.

Grace: Ga je tanden poetsen en kleed je aan.

Christopher: Ik wil het T-shirt wat je voor me uitgekozen hebt niet aan.

Grace: Waarom niet?

Christopher: Ik vind die niet meer mooi.

Grace: Oké, kies dan maar een ander T-shirt.

Christopher: Kan jij dat doen?

Grace: Nee, je bent nu een grote jongen. Je kunt je eigen T-shirts uitkiezen.

Christopher: Vooruit. Ik doe deze aan.

Grace: Oké. Kom ontbijten als je klaar bent.

Christopher: Oké.

(Tien minuten later …)

Grace: Je moet snel komen eten. We zijn wat laat.

Christopher: Ja, ja. Mag ik Chocolate O's?

Grace: Je weet dat je Chocolate O's alleen in het weekend mag.

Christopher: Maar ik wil niks anders.

Grace: Waarom doe je zo moeilijk vandaag, Christopher?!

Christopher: Ik doe niet moeilijk.

Grace: Eet je müsli op.

Christopher: Oké dan.

Grace: Wil je ham of eiersalade op je boterham vandaag?

Christopher: Uhm ... ham.

Grace: Zorg ook dat je je appel vandaag opeet, OKÉ?

Christopher: Ja, mama.

Grace: Kom op, tijd om te gaan!

GETTING READY FOR SCHOOL

Grace: Honey, it's time to wake up!

Christopher: Ugh. Five more minutes.

Grace: That's what you said five minutes ago. It's time to get up, sweetie.

Christopher: Ugh, okay.

Grace: Go brush your teeth and get dressed.

Christopher: I don't want to wear the shirt you picked out for me.

Grace: Why not?

Christopher: I don't like it anymore.

Grace: Okay, then pick out a different shirt.

Christopher: Can you do it?

Grace: No, you're a big boy now. You can pick out your own shirts.

Christopher: All right. I'll wear this one.

Grace: Okay. Come eat breakfast when you're ready.

Christopher: All right.

(Ten minutes later...)

Grace: You need to eat quickly. We're a little late.

Christopher: Yeah, yeah. Can I have Chocolate O's?

Grace: You know you can only have Chocolate O's on the weekend.

Christopher: But I don't want anything else.

Grace: Why are you being so difficult today, Christopher?!

Christopher: I'm not being difficult.

Grace: Eat the granola cereal.

Christopher: Fine.

Grace: Would you like a ham or egg salad sandwich today?

Christopher: Umm... ham.

Grace: Make sure to eat the apple too, OKAY?

Christopher: Yes, Mom.

Grace: All right, time to go!

37

EEN BED KOPEN

-

SHOPPING FOR A BED (A2)

Renata: Zullen we een queen- of kingsize matras kopen?

Nima: We hebben een kingsize matras nodig. Jij beweegt veel als je slaapt!

Renata: O, sorry!

Nima: Geeft niks. Maar ik denk dat we die maat moeten nemen, zodat het voor ons allebei comfortabel is.

Renata: Mee eens.

Nima: Jij houdt van een zachtere matras, of niet?

Renata: Ja. Jij toch ook?

Nima: Ja. Godzijdank!

Renata: Deze matrassen hier zijn in onze prijsklasse.

Nima: Ja, laten we die uitproberen.

Renata: Hmm … Ik denk dat deze te hard is. Wat denk jij?

Nima: Eens kijken. Ja … deze is te hard.

Renata: Wat denk je van deze?

Nima: O, deze is lekker.

Renata: O, je hebt gelijk. Ik vind deze echt fijn. Hoe duur is die?

Nima: Hij is wel een beetje duur, maar we kunnen hem maandelijks afbetalen.

Renata: Dat is goed. Oké, wat voor een soort bedframe zullen we nemen?

Nima: Dat maakt me niet echt uit. De matras vind ik belangrijker.

Renata: Goed! Dan zal ik het bedframe kiezen. Ik vind die witte mooi.

Nima: Ja, die is mooi.

Renata: En de prijs is goed.

Nima: Juist.

Renata: Nou, dat was makkelijk!

Nima: Ja, inderdaad! Ik had verwacht dat we de hele dag nodig zouden hebben om een bed te kopen!

Renata: Woehoe! Laten we gaan dineren om het te vieren!

Nima: We hebben net een berg geld uitgegeven daar. Misschien moeten we maar thuis gaan eten.

Renata: Tja, je hebt gelijk. Oké, we eten thuis!

SHOPPING FOR A BED

Renata: Should we buy a queen- or king-size mattress?

Nima: We need to get a king-size mattress. You move around a lot when you sleep!

Renata: Oops, sorry!

Nima: It's okay. But I think we should get this size so both of us can be comfortable.

Renata: I agree.

Nima: You like softer mattresses, don't you?

Renata: Yeah. You do too, right?

Nima: Yes. Thank goodness!

Renata: These mattresses here are in our price range.

Nima: Yeah, let's try them out.

Renata: Hmm... I think this one is too hard. What do you think?

Nima: Let me see. Yeah... that's too hard.

Renata: What about this one?

Nima: Oh, this one is nice.

Renata: Ooh, you're right. I like this one. How much is it?

Nima: It's a little expensive, but we can make monthly payments on it.

Renata: That's good. All right, what kind of bed frame should we get?

Nima: I don't really care. The mattress is more important to me.

Renata: Okay! I'll pick out the bed frame. I like the white one.

Nima: Yeah, that one is nice.

Renata: And the price is good.

Nima: Yes.

Renata: Well, that was easy!

Nima: Yes, it was! I was expecting to be shopping for a bed all day!

Renata: Woohoo! Let's go to dinner to celebrate!

Nima: We just spent a lot of money. Maybe we should eat at home.

Renata: Yeah, you're right. Okay, dinner at home it is!

38

OCHTENDROUTINE

-

MORNING ROUTINE (A2)

Emilia: Hoe laat word jij iedere dag wakker?

Jack: Doordeweeks word ik rond kwart over zes 's ochtends wakker. In het weekend sta ik rond half zeven of half acht op. En jij dan?

Emilia: Van maandag tot vrijdag word ik om half zeven 's ochtends wakker. Tijdens het weekend sta ik om 8 uur op. Wat doe jij nadat je opstaat?

Jack: Ik neem een douche en dan poets ik mijn tanden en scheer ik me.

Emilia: O, echt? Ik poets mijn tanden eerst. En dan neem ik een douche.

Jack: Wat doe jij nadat je gedoucht hebt?

Emilia: Ik droog mijn haar en doe dan make-up op. Wat doe jij na het scheren?

Jack: Ik kleed me aan en eet mijn ontbijt.

Emilia: Wat draag je naar je werk?

Jack: Normaal gesproken draag ik een broek en een overhemd. Ongeveer één keer per maand draag ik een pak.

Emilia: O, jij hebt geluk. Ik moet me iedere dag zakelijk kleden voor mijn werk!

Jack: Echt waar? Wat voor werk doe je?

Emilia: Ik ben een advocaat.

Jack: O, dan snap ik het wel. Kost het je veel tijd om je klaar te maken iedere ochtend?

Emilia: Het kost me ongeveer anderhalf uur. Ik hou er niet van om te haasten terwijl ik me klaarmaak.

Jack: Ontbijt je iedere dag?

Emilia: Dat probeer ik wel! Ik heb de energie nodig voor mijn werk!

Jack: Ja, het is belangrijk om te ontbijten! Soms sla ik het over en dan heb ik niet zoveel energie als anders.

Emilia: Ja. Het ontbijt is de belangrijkste maaltijd van de dag!

Jack: Precies!

MORNING ROUTINE

Emilia: What time do you wake up every day?

Jack: On weekdays, I wake up around 6:15 a.m. On weekends, I wake up around 7:30 a.m. or 8 a.m. What about you?

Emilia: I wake up at 6:30 a.m. Monday through Friday. On weekends, I get up around 8 a.m. What do you do after you wake up?

Jack: I take a shower and then I brush my teeth and shave.

Emilia: Oh really? I brush my teeth first. And then I take a shower.

Jack: What do you do after you take a shower?

Emilia: I dry my hair and then I put on makeup. What do you do after you shave?

Jack: I get dressed and I eat breakfast.

Emilia: What do you wear to work?

Jack: Usually I wear trousers and a button-down shirt. I wear a suit about once a month.

Emilia: Oh, you're lucky. I have to dress up for work every day!

Jack: Really? What do you do?

Emilia: I'm a lawyer.

Jack: Oh, I see. Does it take you a long time to get ready every morning?

Emilia: It takes me around an hour and a half. I don't like to hurry too much when I'm getting ready.

Jack: Do you eat breakfast every day?

Emilia: I try to! I need energy for work!

Jack: Yeah, it's important to eat breakfast! Sometimes I don't and I don't have as much energy.

Emilia: Yep. Breakfast is the most important meal of the day!

Jack: Exactly!

39

VERJAARDAGSCADEAU

-

BIRTHDAY GIFT (A2)

Gabby: We hebben een cadeau nodig voor Mike.

Sean: Ik weet het. Wat zullen we kopen?

Gabby: Ik weet het niet. Hij heeft alles al.

Sean: Hmm …

Gabby: Zullen we kleren voor hem kopen?

Sean: Wat voor soort kleren?

Gabby: Een overhemd misschien?

Sean: We hebben hem vorig jaar ook een overhemd gegeven.

Gabby: Je hebt gelijk. Wat vind je van een zonnebril? Hij houdt van zonnebrillen.

Sean: Zonnebrillen zijn wel aardig duur. En misschien staat het hem niet goed.

Gabby: Oké.

Sean: Wat vind je van een cadeaubon voor een winkel?

Gabby: Cadeaubonnen zijn zo onpersoonlijk.

Sean: Ja, maar mensen houden ervan. Omdat je kunt kopen wat je zelf wilt.

Gabby: Misschien kunnen we kaartjes van iets voor hem kopen? Zoiets als een voetbalwedstrijd of een concert?

Sean: O, dat is een goed idee. Hij houdt van sport en van muziek.

Gabby: Kijk hier eens naar! Eén van zijn favoriete bands speelt deze maand in de stad.

Sean: Echt? Zullen we kaartjes kopen?

Gabby: Ja, doen we!

Sean: En wat als hij niet naar het optreden kan?

Gabby: Dan gaan wij!

BIRTHDAY GIFT

Gabby: We need to buy a gift for Mike.

Sean: I know. What should we get?

Gabby: I don't know. He has everything.

Sean: Hmm...

Gabby: Should we buy him clothes?

Sean: What kind of clothes?

Gabby: A shirt, maybe?

Sean: We got him a shirt last year.

Gabby: You're right. What about sunglasses? He loves sunglasses.

Sean: Sunglasses are kind of expensive. And maybe they won't look good on him.

Gabby: Okay.

Sean: What about a gift card to a store?

Gabby: Gift cards are so impersonal.

Sean: Yeah, but people like them. Because you can buy whatever you want.

Gabby: Maybe we buy him tickets for something? Like a soccer game or a concert?

Sean: Oh, that's good idea. He likes sports and music.

Gabby: Look at this! One of his favorite bands will be in town next month.

Sean: Really? Should we buy tickets?

Gabby: Yes, let's do it!

Sean: What if he can't go to the show?

Gabby: Then we will go!

40

IK HEB EEN 10

-

I GOT AN A (A2)

Irene: Brad, raad eens?

Brad: Wat?

Irene: Ik heb een 10 voor mijn toets!

Brad: O, dat Is goed! Voor je geschiedenis toets?

Irene: Ja. Ik had er vijf uur voor gestudeerd.

Brad: Wauw. Wat goed van je. Ik had dat vak vorig jaar en het was zo moeilijk.

Irene: Had jij Mevrouw Simmons?

Brad: Ja.

Irene: Zij is heel streng.

Brad: Ja, nogal. Iedereen in onze klas was erg bang voor haar! Maar we leerden wel veel.

Irene: Ja, ik leer er zoveel van. Ik hield eigenlijk niet van geschiedenis voordat zij het vak gaf. Nu interesseert het me enorm.

Brad: Echt?

Irene: Uhuh.

Brad: Hoe heb je dan gestudeerd? Heb je je aantekeningen steeds opnieuw doorgelezen?

Irene: Ja.

Brad: Zo studeerde ik ook voor haar toetsen, maar ik heb nooit een 10 gehaald!

Irene: Nou, ik heb heel lang gestudeerd! Maar ik vond dit hoofdstuk ook leuk. Dus misschien hielp dat me om een goed cijfer te halen.

Brad: Ja, dat klinkt logisch. Ik haal altijd betere cijfers voor de vakken die ik leuk vind.

Irene: Ik ook. Ik zou wel betere cijfers voor wiskunde willen halen, maar ik haat wiskunde.

Brad: En ik hou van wiskunde! Misschien kan ik je met wiskunde helpen en dan help jij mij met geschiedenis.

Irene: Oké, afgesproken!

I GOT AN A

Irene: Guess what, Brad?

Brad: What?

Irene: I got an A on my test!

Brad: Oh, that's great! On your history test?

Irene: Yeah. I studied for five hours.

Brad: Wow. Good for you. I took that class last year and it was so hard.

Irene: Did you have Ms. Simmons?

Brad: Yeah.

Irene: She's really strict.

Brad: Yes, she is. Everyone in the class was so scared of her! But we learned a lot.

Irene: Yeah, I'm learning so much. Actually, I didn't like history before I took her class, but now I'm really interested in it.

Brad: Really?

Irene: Mmm hmm.

Brad: So how did you study? Did you just read your notes again?

Irene: Yep.

Brad: That's how I studied for tests in her class too, but I never got As!

Irene: Well, I studied for a long time! But I also loved this chapter. So, I think that helped me get a good grade.

Brad: That makes sense. I always get better grades in the classes that I like.

Irene: Me too. I wish I got better grades in math, but I hate math.

Brad: And I love math! Maybe I can help you with math and you can help me with history.

Irene: Okay, deal!

41

HIJ KAN GOED AUTORIJDEN

-

HE'S A GOOD DRIVER (A2)

John: Ik maak me zorgen om Jackson.

Ada: Waarom?

John: Hij haalt binnenkort zijn rijbewijs!

Ada: Ja, dat is wel een beetje eng. Maar dat is goed voor ons! Dan hoeven wij hem niet meer overal heen te brengen.

John: Klopt. Maar er zijn zoveel gestoorde chauffeurs in deze stad.

Ada: Ik weet het, maar hij kan goed autorijden!

John: Ja, omdat ik hem geleerd heb hoe je moet rijden.

Ada: Dat is een van de redenen. Maar het is ook een verantwoordelijke jongen.

John: Ja, dat is hij zeker. We zijn gelukkige ouders.

Ada: Ja, dat klopt. Wanneer is zijn rijexamen? Volgende maand, toch?

John: Hij heeft zijn theorie-examen aan het eind van deze maand en dan zijn praktijkexamen de vijftiende.

Ada: Dat is al heel snel. Maar hij is er klaar voor.

John: Bijna. Ik wil nog wel een paar keer met hem oefenen. Hij moet nog beter leren parkeren.

Ada: Ik zou hem moeten leren hoe je parkeert. Ik ben het beste in parkeren in ons gezin.

John: Dat is waar. Jouw vaardigheden zijn ongeëvenaard.

Ada: Bedankt! Wanneer is je volgende rijles met Jackson?

John: Zaterdagmiddag na zijn voetbalwedstrijd.

Ada: Oké. Ik hoop dat het goed gaat!

HE'S A GOOD DRIVER

John: I'm worried about Jackson.

Ada: Why?

John: He's getting his driver's license soon!

Ada: Yeah, that's a little scary. But that's good for us! We won't have to drive him everywhere anymore.

John: True. But there are so many crazy drivers in this city.

Ada: I know. But he's a good driver!

John: Yes, because I taught him how to drive.

Ada: That's one reason why. But he's also a responsible young man.

John: Yeah, he is. We're lucky parents.

Ada: Yes, we are. When is his driving test? It's next month, right?

John: He has his written test at the end of this month and his behind-the-wheel test on the fifteenth.

Ada: That's really soon. But he's ready.

John: Almost. I still want to practice some more with him. He needs to get better at parking.

Ada: I should teach him how to park. I'm the best parker in this family.

John: That's true. Your skills are unmatched.

Ada: Thanks! So, when is your next driving lesson with Jackson?

John: Saturday afternoon after his soccer game.

Ada: Okay. I hope it goes well!

42

IS DAT EEN SPOOK?

-

IS THAT A GHOST? (A2)

Taylor: Wat is dat?!

Spencer: Wat is *wat*?

Taylor: Dat ding in de hoek?

Spencer: Welk ding? Ik zie helemaal niks.

Taylor: Het lijkt op ... nee ... dat is niet mogelijk.

Spencer: Wat?! Je maakt me bang!

Taylor: Het leek op een spook!

Spencer: O, stop. Ik geloof niet in spoken.

Taylor: Ik ook niet. Maar dat leek op een spook.

Spencer: Hoe zag het eruit?

Taylor: Het had de vorm van een mens en ik kon er doorheen kijken.

Spencer: Ik geloof je niet. Ik denk dat je me voor de gek houdt.

Taylor: Ik maak geen grap! Dat is wat ik zag!

Spencer: Je hebt het jezelf waarschijnlijk ingebeeld.

Taylor: Dat denk ik niet.

Spencer: ...

Taylor: Wat?

Spencer: ... oh jeetje.

Taylor: Wat?!

Spencer: Zag je dat?

Taylor: JA! Dat is wat ik net zag!

Spencer: Dat lijkt op een spook!

Taylor: Dat zei ik!

Spencer: Oké. Misschien geloof ik je nu.

Taylor: Dankjewel! Nu ga ik er vandoor.

Spencer: Waar ga je heen?

Taylor: Er zit hier een spook! Ik ga hier weg!

Spencer: Je kunt me hier niet alleen laten met een spook!

Taylor: Nou, kom mee dan!

Spencer: Oké. Dag spook! Ga alsjeblieft weg en kom nooit meer terug!

IS THAT A GHOST?

Taylor: What is that?!

Spencer: What is *what*?

Taylor: That thing in the corner?

Spencer: What thing? I don't see anything.

Taylor: It looks like... no... that's not possible.

Spencer: What?! You're scaring me!

Taylor: It looked like a ghost!

Spencer: Oh, stop. I don't believe in ghosts.

Taylor: I don't either. But that looked like a ghost.

Spencer: What did it look like?

Taylor: It was in the shape of a person, and I could see through it.

Spencer: I don't believe you. I think you're playing a joke on me.

Taylor: I'm not joking! That's what I saw!

Spencer: You probably just imagined it.

Taylor: I don't think so.

Spencer: ...

Taylor: What?

Spencer: ...oh my gosh.

Taylor: What?!

Spencer: Do you see that?

Taylor: YES! That's what I saw before!

Spencer: That looks like a ghost!

Taylor: I told you!

Spencer: Okay. Maybe I believe you now.

Taylor: Thank you! Now I'm leaving.

Spencer: Where are you going?

Taylor: There is a ghost in here! I'm getting out of here!

Spencer: You can't leave me here alone with a ghost!

Taylor: So, come with me!

Spencer: Okay. Bye, ghost! Please leave and don't come back!

43

SCHATTIG HONDJE

-

CUTE DOG (A2)

Jenny: Pardon. Mag ik uw hond begroeten?

Julian: Natuurlijk! Dat zou hij fantastisch vinden.

Jenny: Hij is zo schattig! Wat voor een soort hond is het?

Julian: Ik weet het niet zeker. Hij komt uit het asiel.

Jenny: Hij lijkt op een kruising met een chihuahua.

Julian: Ik denk eigenlijk dat het deels een spaniel is en deels een pomeriaan.

Jenny: Ik snap het.

Julian: Volgens mij lijkt hij eigenlijk wel op een hele kleine golden retriever.

Jenny: Dat denk ik ook! Is hij nog een puppie?

Julian: Nee, hij is al zes jaar oud.

Jenny: Wauw! Maar hij ziet eruit als een puppie!

Julian: Ja, ik denk dat hij er altijd als een puppie uit zal blijven zien.

Jenny: Ik hoop het. Hij is zo zacht! Ik hou van zijn zachte vacht.

Julian: Hij heeft inderdaad een zachte vacht. Hij eet gezond hondenvoer en dat helpt om zijn vacht zijdezacht te houden.

Jenny: Dat is lief van je. Hoe heet hij?

Julian: Stanley.

Jenny: Dat is een grappige naam voor een hond. Ik vind hem erg schattig!

Julian: Dankjewel.

Jenny: Waar heb je hem vandaan?

Julian: Uit het asiel. Stanley is een geredde hond.

Jenny: Dat is geweldig! Dat is die van mij ook. Ze is lief.

Julian: Cool! Hoe lang heb jij jouw hond al?

Jenny: Ik kreeg haar toen ze één jaar was en nu is ze vier, dus ongeveer drie jaar.

Julian: Wat voor een soort hond is het? En hoe heet ze?

Jenny: Ze heet Coco en ze is een kruising van een poedel.

Julian: Dat is leuk.

Jenny: Denk je dat Stanley Coco leuk zou vinden?

Julian: Ik hoopt het. Zullen we speeltijd voor hen inplannen?

Jenny: Natuurlijk! Dat zou ik leuk vinden.

CUTE DOG

Jenny: Excuse me. May I say hello to your dog?

Julian: Sure! He would like that very much.

Jenny: He's so cute! What kind of dog is he?

Julian: I'm not sure. He is a rescue.

Jenny: He looks like a Chihuahua mix.

Julian: Actually, I think he's part spaniel and part Pomeranian.

Jenny: I see.

Julian: I think he actually looks like a very tiny golden retriever.

Jenny: I think so, too! Is he a puppy?

Julian: No, he is actually six years old.

Jenny: Wow! But he looks like a puppy!

Julian: Yeah, I think he will look like a puppy forever.

Jenny: I hope so. He is so soft! I love his soft fur.

Julian: He does have soft fur. He eats healthy dog food and it helps his fur stay silky.

Jenny: That's very nice of you. What's his name?

Julian: Stanley.

Jenny: That's a funny name for a dog. I think it's so cute!

Julian: Thank you.

Jenny: Where did you get him?

Julian: At the shelter. Stanley is a rescue dog.

Jenny: That's awesome! So is mine. She is lovely.

Julian: Cool! How long have you had your dog?

Jenny: I got her when she was one, and now she's four, so about three years.

Julian: What kind of dog is she? And what's her name?

Jenny: Her name is Coco and she's a poodle mix.

Julian: That's nice.

Jenny: Do you think Stanley would like Coco?

Julian: I hope so. Should we schedule a playtime for them?

Jenny: Sure! I would like that.

44

METEORIETENREGEN

-

A METEOR SHOWER (A2)

Andrea: Michael, raad eens!

Michael: Wat is er?

Andrea: Er is vannacht een meteorietenregen! Ik heb het op het nieuws gezien.

Michael: O, echt? Hoe laat zal die meteorietenregen plaatsvinden?

Andrea: De meteorietenregen begint om 9 uur en eindigt rond middernacht.

Michael: Kunnen we de meteorietenregen vanuit huis zien?

Andrea: Nee, er is te veel licht van de stad thuis. We zullen naar een hele donkere plek toe moeten.

Michael: We kunnen naar de top van Mt. Felix rijden.

Andrea: Hoe ver is dat?

Michael: Ik denk dat de berg vijftien kilometer rijden is vanaf hier.

Andrea: Laten we dat dan doen.

Michael: Heb je ooit een meteorietenregen gezien?

Andrea: Nee. Dit zal mijn eerste keer zijn. Ik ben er opgewonden voor. Ik heb nog nooit eerder een vallende ster gezien.

Michael: Dan wordt het erg leuk voor je!

Andrea: Heb jij ooit een vallende ster gezien?

Michael: Ja.

Andrea: Wanneer?

Michael: Er was een paar jaar geleden een meteorietenregen. Ik werkte toen op een kamp op Mt. Felix. Ik zag zoveel vallende sterren die avond.

Andrea: En heb je een wens gedaan?

Michael: Ja, dat heb ik gedaan.

Andrea: Wat heb je gewenst?

Michael: Dat kan ik je niet vertellen! Als ik het je vertel, dan komt mijn wens niet uit.

Andrea: Je bedoelt dat je wens nog niet uit is gekomen?

Michael: Nee ...

Andrea: Nou, hopelijk kunnen we vanavond een paar nieuwe wensen doen.

Michael: Ik hoop het.

A METEOR SHOWER

Andrea: Michael, guess what!

Michael: What?

Andrea: There's going to be a meteor shower tonight! I saw it on the news.

Michael: Oh, really? What time will the meteor shower happen?

Andrea: The meteor shower will start at 9:00 p.m. and end around midnight.

Michael: Can we watch the meteor shower from home?

Andrea: No, there are too many city lights at home. We have to go somewhere very dark.

Michael: We can drive to the top of Mt. Felix.

Andrea: How far is it?

Michael: I think the mountain is ten miles from here.

Andrea: Let's do that.

Michael: Have you ever seen a meteor shower?

Andrea: I haven't. This will be my first time. I'm very excited. I have never seen a shooting star before.

Michael: I'm very excited for you!

Andrea: Have you seen a shooting star before?

Michael: Yes.

Andrea: When?

Michael: There was a meteor shower a few years ago. I was working at a camp on Mt. Felix. I saw many shooting stars that night.

Andrea: Did you make a wish?

Michael: Yes, I did.

Andrea: What did you wish for?

Michael: I can't tell you! If I tell you, my wish won't come true.

Andrea: You mean it still hasn't come true?

Michael: No...

Andrea: Well, hopefully we can make some new wishes tonight.

Michael: I hope so.

45

HOE NEEM JE EEN GOEDE FOTO
-
HOW TO TAKE A GOOD PICTURE (A2)

Maia: Hé Damien!

Damien: Hoi Maia! Jou heb ik lang niet gezien.

Maia: Echt hè! Hoe gaat het met je?

Damien: Best goed. Hoe gaat het met jou?

Maia: Prima hoor. O, ik heb een vraag voor je. Je bent fotograaf, toch?

Damien: Ja. Nou, ik maak foto's voor m'n plezier. Ik ben geen professionele fotograaf.

Maia: Maar je foto's zien er professioneel uit!

Damien: O, dank je! Het is mijn hobby en ik doe het al een hele poos.

Maia: Heb je tips om goede foto's te nemen?

Damien: Uhm … natuurlijk. Waar wil je foto's van maken?

Maia: Vooral van landschappen en architectuur.

Damien: Ah, oké. Heb je gehoord van de "regel van derden"?

Maia: Nee. Wat is dat?

Damien: Nou, stel jezelf een rechthoek voor. En verdeel die rechthoek dan in negen gelijke vierkanten. De belangrijkste onderdelen van de foto zouden daar moeten komen waar de horizontale en verticale lijnen elkaar snijden. Dit verbetert de compositie van je foto's.

Maia: O, echt? Dat is zo cool! Dat ga ik proberen.

Damien: Ja, dat zou je echt moeten doen. Nou, ik moet gaan. Als je in de toekomst meer tips nodig hebt, laat het me dan weten!

Maia: Zal ik doen. Bedankt, Damien!

Damien: Geen probleem. Tot ziens.

Maia: Doei!

HOW TO TAKE A GOOD PICTURE

Maia: Hey, Damien!

Damien: Hi, Maia! Long time no see.

Maia: I know! How have you been?

Damien: Pretty good. How about you?

Maia: I'm good. Oh, I have a question for you. You're a photographer, right?

Damien: Yeah. Well, I take pictures just for fun. I'm not a professional photographer.

Maia: But your pictures look professional!

Damien: Oh, thanks! It's my hobby, and I have been doing it for a long time.

Maia: Do you have any tips on how to take good pictures?

Damien: Umm... sure. What do you like to take pictures of?

Maia: Mostly landscapes and architecture.

Damien: Ah, okay. Have you heard of the "Rule of Thirds"?

Maia: No. What's that?

Damien: So, imagine a rectangle. And then divide the rectangle into nine equal squares. The most important parts of the photo should be at the places where the vertical and horizontal lines meet. This will help the composition of your photo.

Maia: Oh, really? That's so cool! I'll try that.

Damien: Yeah, you should. Well, I have to go. If you need any more tips in the future, let me know!

Maia: I will. Thanks, Damien!

Damien: No problem. See you later.

Maia: See you!

46

EEN SURPRISE PARTY
-
A SURPRISE PARTY (A2)

Ingrid: Hoi, kom je naar Emma's surprise party?

Erik: Shh! Dat moet je niet zo hard zeggen. Ze zou je kunnen horen.

Ingrid: Ze is in de andere kamer met Daan aan het praten. Ze kan me niet horen.

Erik: Iedereen kan je horen als jij praat.

Ingrid: Niet *iedereen*. Mensen in andere steden kunnen me niet horen.

Erik: Weet je het zeker?

Ingrid: Oké, oké, ik ben luidruchtig. Ik snap het al. Hoe dan ook, kom je?

Erik: Ja. En jij?

Ingrid: Natuurlijk, ik help met organiseren.

Erik: Dus, wat is het plan?

Ingrid: Haar vriend Aäron neemt haar mee uit eten. Iedereen komt tussen zes en half zeven naar haar huis. Emma en Aäron zouden rond acht uur terug thuis moeten zijn. Aäron houdt ons met berichtjes op de hoogte. We verstoppen ons allemaal totdat ze binnenkomen. Dan springen we tevoorschijn en roepen we "Surprise!"

Erik: Cool. Is ze een beetje achterdochtig? Vindt ze het niet vreemd dat geen enkele van haar vrienden tijd met haar door wil brengen voor haar verjaardag?

Ingrid: Ze gaat iets doen met haar vrienden dit weekend, na haar verjaardag. Dus ze denkt dat dat het enige feestje is.

Erik: En ze heeft geen idee van de surprise party?

Ingrid: Nee! Ze weet van niks.

Erik: Fantastisch. Ik kan niet wachten om te zien hoe ze reageert.

Ingrid: Ik ook niet!

A SURPRISE PARTY

Ingrid: Hey, are you coming to Emma's surprise party?

Erik: Shh! Don't say that so loud. She might hear you.

Ingrid: She's in the next room talking to Dan. She can't hear me.

Erik: Everyone can hear you when you talk.

Ingrid: Not *everyone*. People in other cities can't hear me.

Erik: Are you sure?

Ingrid: Okay, okay, I'm loud. I get it. Anyway, are you coming?

Erik: Yeah. Are you?

Ingrid: Of course; I'm helping plan it.

Erik: So, what's the plan?

Ingrid: Her boyfriend Aaron is taking her out to dinner. Everyone is arriving at the house between six and six thirty. Emma and Aaron should get back to the house by eight. Aaron is going to keep us updated via text. We're all going to hide, and then when they come home, we'll jump out and say "Surprise!"

Erik: Cool. Is she suspicious at all? Isn't she surprised that none of her friends want to hang out for her birthday?

Ingrid: She's hanging out with her friends this weekend, after her birthday. So, she thinks that's the only party.

Erik: And she has no idea about the surprise party?

Ingrid: Nope! She's totally clueless.

Erik: Awesome. I can't wait to see her reaction.

Ingrid: Me too!

47

MIJN LIEVELINGSONTBIJT

-

MY FAVORITE BREAKFAST (A2)

Keito: Wat wil jij vandaag voor je ontbijt?

Hannah: Hmm … fruit en yoghurt of cornflakes. Ik hou van cornflakes, maar ik weet dat het niet super gezond is voor me. Dus ik probeer fruit en yoghurt en muesli te eten.

Keito: O, ik snap het. He je wel eens havermout geprobeerd? Havermout is erg gezond, toch?

Hannah: Ja, dat wel, maar het is zo saai! Wat neem jij als ontbijt?

Keito: Waarschijnlijk misosoep en gestoomde rijst.

Hannah: O, wauw! Hier in Nederland eten we dat soort dingen alleen als middag- of avondeten.

Keito: Ja, wij eten misosoep en rijst ook als lunch en avondeten. Ik eet het graag als ontbijt. Soms heb ik gebakken vis bij mijn misosoep en rijst als ik erg veel honger heb en de tijd heb om het te maken.

Hannah: Interessant! Ik heb nog nooit vis als ontbijt op.

Keito: Je zou het eens moeten proberen! Het is gezond.

Hannah: Het klinkt gezond. Misschien doe ik het een keer!

Keito: Soms eet ik ook cornflakes als ontbijt. Maar mijn lievelingstijd om cornflakes te eten is 's avonds laat als snack.

Hannah: Dat doe ik ook! Ieder moment van de dag is goed voor cornflakes.

Keito: Haha. Oké, zullen we vandaag misosoep en rijst nemen, dan kunnen we morgen aan de cornflakes?

Hannah: Klinkt goed!

MY FAVORITE BREAKFAST

Keito: What do you want for breakfast today?

Hannah: Hmm... fruit and yogurt or cereal. I love cereal but I know it's not super healthy for me. So, I'm trying to eat fruit and yogurt and granola.

Keito: Oh, I see. Have you tried oatmeal? Oatmeal is really healthy, right?

Hannah: Yes, it is, but it's so boring! What are you going to eat for breakfast?

Keito: Probably some miso soup and steamed rice.

Hannah: Oh, wow! Here in the U.S. we only eat that kind of thing for lunch or dinner.

Keito: Yeah, we also eat miso soup and rice for lunch and/or dinner. I like to eat it for breakfast. Sometimes I eat grilled fish with my miso soup and rice if I'm really hungry and I have time to make it.

Hannah: Interesting! I've never had fish for breakfast.

Keito: You should try it sometime! It's healthy.

Hannah: That does sound healthy. Maybe I will!

Keito: I eat cereal for breakfast sometimes too. But my favorite time to eat cereal is as a late-night snack.

Hannah: Me too! Any time of day is good for cereal.

Keito: Ha ha. Okay, how about we have some miso soup and rice today, and tomorrow we can have cereal?

Hannah: Sounds good!

48

VERVELENDE BUREN

-

ANNOYING NEIGHBORS (A2)

Nadia: Onze buurmn heeft de muziek weer zo hard staan!

Kadek: Hè bah. Ik dacht dat hij zei dat ze de muziek zachtjes zouden houden!

Nadia: Ik denk dat hij van gedachten is veranderd. We hebben het er al drie keer met hem over gehad. Het is zo brutaal!

Kadek: Wat kunnen we eraan doen?

Nadia: Zullen we erover praten met onze verhuurder?

Kadek: Hmm … misschien kunnen we het er eerst nog één keer met hem over hebben en het dan met de verhuurder bespreken?

Nadia: Wat? Ik kan je niet verstaan. Je komt niet boven de muziek uit!

Kadek: IK ZEI ZULLEN WE ER EERST NOG ÉÉN KEER MET HEM OVER PRATEN EN HET DAN MET DE VERHUURDER BESPREKEN. WAT VIND JIJ ERVAN?

Nadia: IK VIND HET EEN GOED IDEE. O, hij heeft het al zachter gezet.

Kadek: Misschien hoorde hij ons schreeuwen.

Nadia: Dat zou kunnen.

Kadek: Dit is waarom ik naar een rustigere buurt wil verhuizen.

Nadia: Ja. Maar alle rustige wijken in deze stad zijn duurder.

Kadek: Niet allemaal. Dan en Cindy wonen in Crestview. Dat is aardig rustig en betaalbaar.

Nadia: Dat is waar. Misschien moeten we online kijken of er daar appartementen beschikbaar zijn.

Kadek: Wat? Ik kan je niet horen.

Nadia: MISSCHIEN MOETEN WE ONLINE KIJKEN OF ER DAAR APPARTEMENTEN TE HUUR ZIJN.

Kadek: Oké. Laten we dat meteen doen. We verliezen onze stemmen als we hier nog langer blijven!

ANNOYING NEIGHBORS

Nadia: Our neighbor is playing loud music again!

Kadek: Ugh. I thought he said he would keep the music down!

Nadia: I guess he changed his mind. We've talked to him about it three times. It's so rude!

Kadek: What can we do?

Nadia: Should we talk to our landlord?

Kadek: Hmm... maybe we should talk to him one more time and then talk to the landlord?

Nadia: What? I can't hear you over the music!

Kadek: I SAID WE SHOULD TALK TO HIM ONE MORE TIME AND THEN TALK TO THE LANDLORD. WHAT DO YOU THINK?

Nadia: I THINK THAT'S A GOOD IDEA. Oh, he turned it down.

Kadek: Maybe he heard us shouting.

Nadia: Possibly.

Kadek: This is why I want to move to a quieter neighborhood.

Nadia: Yeah. But all the quieter neighborhoods in this city are more expensive.

Kadek: Not all of them. Dan and Cindy live in Crestview, which is pretty quiet and affordable.

Nadia: That's true. Maybe we should look online and see if there are any available apartments.

Kadek: What? I can't hear you.

Nadia: MAYBE WE SHOULD LOOK ONLINE AND SEE IF THERE ARE ANY APARTMENTS FOR RENT.

Kadek: Okay. Let's do it now. We're going to lose our voices if we stay here much longer!

49

MISCOMMUNICATIE IN DE SALON

-

MISCOMMUNICATION AT THE SALON (A2)

Briana: Dag, Dominic! Wat goed om je te zien! Kom binnen en ga zitten.

Dominic: Bedankt, Briana.

Briana: Wauw, jouw haar wordt lang! Ben je klaar voor je knipbeurt?

Dominic: Dat ben ik zeker! Ik moet er morgen goed uitzien voor mijn sollicitatie.

Briana: Daar kan ik je bij helpen. Wat wil je dat ik voor je doe vandaag?

Dominic: Ik wil het bovenop lang hebben en aan de zijkanten heel kort.

Briana: Wil je dat ik het bovenop ook knip?

Dominic: Ja, knip maar één centimeter van de bovenkant af.

Briana: Begrepen. Hoe gaat het verder met je?

Dominic: Verder gaat alles prima. Ik hoef er alleen voor te zorgen dat mijn sollicitatie morgen goed gaat.

Briana: Ik weet zeker dat je sollicitatie goed zal gaan morgen.

Dominic: Ik hoop het.

Briana: Hoe gaat het met je vriendin?

Dominic: Met haar gaat het goed. We gaan volgende week samen op reis.

Briana: Waar gaan jullie heen?

Dominic: We gaan samen naar Bali.

Briana: Dat klinkt leuk! Ik heb gehoord dat Bali prachtig is.

Dominic: Ja, ik heb er enorm veel zin in!

Briana: Hoelang duurt jullie reis?

Dominic: We gaan ongeveer twee weken.

Briana: Ik vind het echt leuk voor je!

Dominic: Bedankt! Ik wilde eigenlijk — hé! Wat doe je?

Briana: Hè? Heb ik iets fout gedaan?

Dominic: Je knipt er zoveel haar vanaf!

Briana: Wat bedoel je? Je zei toch dat ik één centimeter moest overlaten?

Dominic: Nee, ik zei knip er één centimeter van af!

Briana: O … Het spijt me enorm. Ik zal geen geld vragen voor deze knipbeurt. We komen er samen wel uit!

MISCOMMUNICATION AT THE SALON

Briana: Hi, Dominic! Good to see you! Come in and have a seat.

Dominic: Thanks, Briana.

Briana: Wow, your hair is getting long! Are you ready for your haircut?

Dominic: I sure am! I need to look good for my interview tomorrow.

Briana: I can help with that. What would you like me to do today?

Dominic: I want to keep the top long and the sides very short.

Briana: Do you want me to cut the top?

Dominic: Yes, let's cut an inch off the top.

Briana: Gotcha. How is everything else going?

Dominic: Everything else is going okay. I just need to make sure my interview goes well tomorrow.

Briana: I'm sure you will do well on your interview.

Dominic: I hope so.

Briana: How is your girlfriend doing?

Dominic: She is good. We're going on a trip together next week.

Briana: Where are you going?

Dominic: We're going to Bali together.

Briana: That sounds exciting! I heard Bali is beautiful.

Dominic: Yes, I am very excited!

Briana: How long is your trip?

Dominic: We are going for about two weeks.

Briana: I'm happy for you!

Dominic: Thanks! I actually—hey! What are you doing?

Briana: Huh? Did I do something wrong?

Dominic: You cut off so much hair!

Briana: What do you mean? You said leave an inch of hair, right?

Dominic: No, I said cut off an inch!

Briana: Oh... I'm so sorry. I won't charge you for this cut. We can fix this!

50

AUTOSLEUTELS IN EEN AFGESLOTEN AUTO

-

I LOCKED MY KEYS IN THE CAR (A2)

Azad: O, nee.

Brenna: Wat?

Azad: Ik heb net iets heel doms gedaan.

Brenna: Wat heb je gedaan?

Azad: Ik heb mijn autosleutels in mijn auto opgesloten.

Brenna: O, joh. Hoe heb je dat voor elkaar gekregen?

Azad: Ik probeerde al deze tassen uit de auto te halen. Toen werd ik afgeleid en heb mijn sleutels op de stoel laten liggen.

Brenna: Wat kunnen we doen?

Azad: Ik denk dat we een slotenmaker moeten bellen.

Brenna: Slotenmakers zijn zo duur! De laatste keer dat ik mijn sleutels in mijn auto had moest ik honderd euro betalen. En het duurde maar vijf minuten om de auto te open te krijgen!

Azad: Ik weet het. Het is oplichterij. Maar ik weet niet hoe ik de sleutels eruit moet krijgen.

Brenna: Kun je het raam een stukje proberen te openen?

Azad: Ik kan het proberen.

(Vijf minuten later ...)

Azad: Ik krijg het niet voor elkaar! Ik zal een slotenmaker moeten bellen.

Brenna: Oké. Ik heb op het internet gekeken en een goedkope gevonden. Hij vraagt er maar vijfenzeventig euro voor.

Azad: Is dat goedkoop?

Brenna: Nou, nee. Maar het is beter dan honderd euro!

Azad: Ja, vooruit dan maar.

Brenna: Hij zei dat hij hier over vijfenveertig minuten kan zijn.

Azad: Vijfenveertig minuten?!

Brenna: Dat is het snelste dat hij kon komen! Het is jouw fout dat de sleutels in de auto liggen.

Azad: Je hebt gelijk. Ik zal voortaan beter op mijn sleutels passen!

I LOCKED MY KEYS IN THE CAR

Azad: Oh, no.

Brenna: What?

Azad: I just did something stupid.

Brenna: What did you do?

Azad: I locked my keys in the car.

Brenna: Oh, dear. How did that happen?

Azad: I was trying to take all of these bags out of the car. Then I got distracted and left my keys on the seat.

Brenna: What should we do?

Azad: I think we need to call a locksmith.

Brenna: Locksmiths are so expensive! The last time I locked my keys in the car I had to pay one hundred dollars. And it only took him five minutes to open the car!

Azad: I know. It's a rip-off. But I don't know how to get the keys out.

Brenna: Can you try to open the window a little?

Azad: I'll try.

(Five minutes later...)

Azad: I can't do it! I have to call the locksmith.

Brenna: Okay. I looked online and found a cheap one. He only charges seventy-five dollars.

Azad: That's cheap?

Brenna: Well, no. But it's better than one hundred dollars!

Azad: Yeah, I guess.

Brenna: He said he'll be here in forty-five minutes.

Azad: Forty-five minutes?!

Brenna: That's the fastest he can get here! It's your fault for locking the keys in the car.

Azad: You're right. From now on I'm going to be so careful with my keys!

51

SCHAAPJES TELLEN

-

COUNTING SHEEP (A2)

Ulrich: Hoi Eliza.

Eliza: Hoi Ulrich. Hoe gaat het?

Ulrich: Het gaat wel goed.

Eliza: Weet je het zeker? Je ziet er niet al te goed uit.

Ulrich: Ik heb afgelopen nacht maar twee uur geslapen.

Eliza: O, nee toch!

Ulrich: Ik ben zo moe.

Eliza: Wat is er afgelopen nacht gebeurd?

Ulrich: Ik weet het niet precies. Ik kwam gewoon niet in slaap.

Eliza: Dat is vreemd.

Ulrich: Ik weet het. Ik weet niet wat ik eraan kan doen.

Eliza: Heb je geprobeerd melk te drinken voordat je naar bed gaat?

Ulrich: Nee, ik hou niet van melk.

Eliza: Ik snap het.

Ulrich: Ik ben gestopt met melk drinken toen ik tien was.

Eliza: Dat is al heel lang geleden.

Ulrich: Inderdaad. Heb je nog een ander idee?

Eliza: Heb je geprobeerd schaapjes te tellen?

Ulrich: Ik heb toch geen schapen.

Eliza: Nee, ik bedoel denkbeeldige schapen.

Ulrich: Werkt dat?

Eliza: Ik heb gehoord dat het voor veel mensen werkt.

Ulrich: Oké, wat moet ik dan doen?

Eliza: Beeld je als eerst in dat er een schaap over het hek springt. Dat is je eerste schaap.

Ulrich: En daarna?

Eliza: Als tweede, beeld je jezelf een ander schaap in dat over het hek springt. Dat is je tweede schaap.

Ulrich: Oké.

Eliza: Je telt die schapen totdat je in slaap valt. Probeer het maar!

Ulrich: Een, twee, drie, vier ... vijf ... ze ...

Eliza: Uh ... Ulrich?

Ulrich: Zzzzz.

Eliza: Hij is in slaap gevallen. Ik denk dat hij erg moe was.

COUNTING SHEEP

Ulrich: Hi, Eliza.

Eliza: Hi, Ulrich. How are you?

Ulrich: I'm okay.

Eliza: Are you sure? You don't look well.

Ulrich: I only slept two hours last night.

Eliza: Oh, no!

Ulrich: I am so tired.

Eliza: What happened last night?

Ulrich: I'm not sure. I just couldn't fall asleep.

Eliza: That's strange.

Ulrich: I know. I don't know what to do.

Eliza: Have you tried drinking milk before you go to bed?

Ulrich: No, I don't like milk.

Eliza: I understand.

Ulrich: I stopped drinking milk when I was ten.

Eliza: That was a long time ago.

Ulrich: It was. Do you have another idea?

Eliza: Have you tried counting sheep?

Ulrich: I don't own any sheep.

Eliza: No, I mean counting imaginary sheep.

Ulrich: Does that work?

Eliza: I heard it works for many people.

Ulrich: Okay, so what do I do?

Eliza: First, imagine one sheep jumping over a fence. That will be your first sheep.

Ulrich: And then what?

Eliza: Second, imagine another sheep jumping over a fence. That will be your second sheep.

Ulrich: Okay.

Eliza: You count these sheep until you fall asleep. Try it!

Ulrich: One, two, three, four… five… si….

Eliza: Uh… Ulrich?

Ulrich: Zzzzz.

Eliza: He fell asleep. I guess he was very tired.

52

DE EERSTE DAG NAAR DE HOGESCHOOL

-

FIRST DAY AT COLLEGE (A2)

Mama: Ben je klaar voor je grote dag?

Trevor: Jep. Gaan jij en papa er goed doorheen komen?

Mama: Ik denk dat het met ons wel goed zal gaan. We zullen je missen.

Trevor: Mam, de school is maar twee uur hier vandaan.

Mama: Toch zullen we je missen.

Trevor: Prima.

Mama: Heb je er zin in?

Trevor: Ja. Ik ben ook een beetje nerveus.

Mama: Dat is niet erg! Je zult er veel plezier hebben.

Trevor: Dat hoop ik.

Mama: Wanneer zal John hier zijn?

Trevor: Ik weet het niet.

Mama: Ik ben blij dat hij samen met jou naar school gaat.

Trevor: Ik ook. John wordt een geweldige kamergenoot.

Mama: Ben je klaar voor je colleges?

Trevor: Nee, maar de colleges beginnen pas volgende week. Ik heb nog zat tijd.

Mama: Heb je hulp nodig met je spullen?

Trevor: Nee, ik denk dat andere studenten me wel zullen helpen.

Mama: Weet je het zeker?

Trevor: Ja, mam. Je mag naar huis gaan. Het komt wel goed met me.

Mama: Gaan jullie samen lunchen?

Trevor: Nee, de lunch is vandaag gratis. Alle andere studenten zullen er ook zijn.

Mama: Oké ...

Trevor: Mam, het komt echt goed.

Mama: Als jij het zegt.

Trevor: Ik hou van je. Zeg maar tegen papa dat het goed komt.

Mama: Ik hou ook van jou. Geniet ervan!

FIRST DAY AT COLLEGE

Mom: Are you ready for your big day?

Trevor: Yep. Are you and Dad going to be okay?

Mom: I think we will be okay. We are going to miss you.

Trevor: Mom, school is only two hours away.

Mom: We will still miss you.

Trevor: All right.

Mom: Are you excited?

Trevor: Yeah. I'm also a little nervous.

Mom: That's okay! You will have lots of fun.

Trevor: I hope so.

Mom: When will John be here?

Trevor: I don't know.

Mom: I'm glad he is going to school with you.

Trevor: Me too. John is going to be a great roommate.

Mom: Are you ready for class?

Trevor: No, but classes start next week. I have lots of time.

Mom: Do you need help with your things?

Trevor: No, I think other students will help.

Mom: Are you sure?

Trevor: Yes, Mom. You can go home. I will be fine.

Mom: Do you want to get lunch together?

Trevor: No, lunch is free today. All of the other students will be there.

Mom: Okay...

Trevor: Mom, I will be fine.

Mom: If you say so.

Trevor: I love you. Tell Dad I will be fine.

Mom: I love you, too. Have a great time!

53

DIER ONTSNAPT UIT DE DIERENTUIN

-

ESCAPED ANIMAL AT THE ZOO (A2)

Tina: Hé Jeff! Hoe maak je het vandaag?

Jeff: Goed hoor. Heb jij Tony eigenlijk gezien vandaag?

Tina: Wie is Tony? Hoe ziet hij eruit?

Jeff: Tony woont hier. Hij is oranje en heeft zwarte en witte strepen. En hij weegt ongeveer tweehonderd kilo.

Tina: Dat is best zwaar! Wacht ... oranje met zwarte en witte strepen?

Jeff: Ja.

Tina: Is Tony harig?

Jeff: Misschien.

Tina: Is Tony een tijger? Is onze tijger ontsnapt?

Jeff: Ja! Maar hou het stil! Ik wil niet in de problemen komen. We moeten Tony vinden voordat de dierentuin opengaat.

Tina: Uhm, ja, dat moeten we zeker.

Jeff: Kun je me helpen?

Tina: Natuurlijk. Kun je me vertellen hoe het gebeurd is?

Jeff: Nou, ik opende de deur om zijn verblijf schoon te maken, maar hij duwde me omver en rende weg.

Tina: O, nee! Heb je gezien waar hij heen ging?

Jeff: Ik denk dat hij deze kant op is gegaan, maar ik zie hem niet meer.

Tina: Waar zou hij kunnen zijn?

Jeff: Ik weet het niet zeker. Hij zou vol moeten zitten van zijn ontbijt. Poeh, wat is het heet vandaag!

Tina: Dat is het!

Jeff: Dat is wat?

Tina: Het is zo heet en tijgers houden van water. Ik wed dat hij bij de vijver is.

Jeff: Je zou gelijk kunnen hebben!

Tina: Kijk, daar is hij! Schiet op en vang hem!

ESCAPED ANIMAL AT THE ZOO

Tina: Hey, Jeff! How are you today?

Jeff: I'm good. Actually, have you seen Tony?

Tina: Who is Tony? What does he look like?

Jeff: Tony lives here. He's orange and white with black stripes and he weighs about five hundred pounds.

Tina: He's pretty heavy! Wait... orange and white with black stripes?

Jeff: Yes.

Tina: Is Tony furry?

Jeff: Maybe.

Tina: Is Tony a tiger? Did our tiger escape?

Jeff: Yes! But keep it down! I don't want to get in trouble. We have to find Tony before the zoo opens.

Tina: Umm, yes, we do.

Jeff: Will you help me?

Tina: Sure. Can you tell me how this happened?

Jeff: Well, I opened the door to clean his enclosure but he knocked me over and ran away.

Tina: Oh, no! Did you see where he went?

Jeff: I think he went this way, but I don't see him anymore.

Tina: Where could he be?

Jeff: I'm not sure. He should be full from breakfast. Gosh, it's so hot today!

Tina: That's it!

Jeff: What's it?

Tina: It's so hot today and tigers like the water. I bet he's at the pond.

Jeff: You may be right!

Tina: Look, there he is! Hurry up and catch him!

54

KAMPEREN

\-

CAMPING TRIP (A2)

Peter: Hoorde je dat?

Gwen: Nee.

Peter: Volgens mij hoorde ik iets buiten.

Gwen: Waar?

Peter: Ik denk dat het geluid bij die bomen vandaan kwam.

Gwen: Hoe klonk het geluid?

Peter: Het klonk alsof er iets plofte.

Gwen: Weet je zeker dat het niet het vuur was? Ik hoor het vuur al de hele tijd ploffende geluiden maken.

Peter: Je hebt waarschijnlijk gelijk.

Gwen: Maak me niet bang zo.

Peter: Het spijt me.

Gwen: Ik begin honger te krijgen.

Peter: Ik denk dat de hotdogs klaar zijn. Heb jij de broodjes meegenomen?

Gwen: Ja, die zijn hier. Die hotdogs zien er echt goed uit!

Peter: Ja! Hier, deze is voor jou.

Gwen: Dankjewel. Wil je er ketchup op?

Peter: Nee, alleen mosterd, alsjeblieft.

Gwen: Ik heb geen mosterd meegenomen. Sorry!

Peter: Dat geeft niks. Heb je nog water?

Gwen: Ja, hier heb je het.

Peter: Dit is een heerlijk bos.

Gwen: Dat vind ik ook. Ik hou van kamperen in het bos.

Peter: Ik wil de zon in de ochtend op zien komen.

Gwen: Ik ook. De zonsopkomst is om zes uur, dus we zullen heel vroeg op moeten staan.

Peter: Je hebt gelijk. Laten we naar bed gaan.

Gwen: Oké, heb jij de tent meegenomen?

Peter: Maar natuurlijk! Kun jij me daarmee helpen?

Gwen: Natuurlijk!

CAMPING TRIP

Peter: Did you hear that?

Gwen: No.

Peter: I think I heard something out there.

Gwen: Where?

Peter: I think the noise was coming from those trees.

Gwen: What did the noise sound like?

Peter: It sounded like something popped.

Gwen: Are you sure it wasn't the fire? I've been listening to the fire making popping noises.

Peter: You're probably right.

Gwen: Don't scare me like that.

Peter: I'm sorry.

Gwen: I'm getting hungry.

Peter: I think the hotdogs are ready. Did you bring the buns?

Gwen: Yeah, they're right here. Those hotdogs look really good!

Peter: Yeah! Here, this one is yours.

Gwen: Thank you. Do you want some ketchup?

Peter: No, just mustard, please.

Gwen: I didn't bring any mustard. Sorry!

Peter: That's okay. Do you have any water?

Gwen: Yes, here you go.

Peter: This is a lovely forest.

Gwen: I think so, too. I love camping in the forest.

Peter: I want to watch the sunrise in the morning.

Gwen: Me too. Sunrise is at 6 a.m., so we need to wake up very early.

Peter: You're right. Let's go to bed.

Gwen: Okay, did you bring the tent?

Peter: Of course! Can you help me with it?

Gwen: Sure!

55

DE FAMILIE VAN MIJN BESTE VRIEND

-

MY BEST FRIEND'S FAMILY (A2)

Klaus: Wat wil je doen dit weekend?

Viviana: Ik weet het nog niet. Wat heb jij in gedachten?

Klaus: Ik ga een reisje maken met de familie van mijn vriend Adam.

Viviana: O, echt? Ben je gehecht aan zijn familie?

Klaus: Ja, ze zijn een soort van tweede familie voor me.

Viviana: Dat is leuk, zeg. Wat gaan jullie doen?

Klaus: Ze hebben een huis aan het meer. Dus daar gaan we heen.

Viviana: Cool! Hoelang ben je al bevriend met Adam?

Klaus: Ongeveer twaalf jaar. We hebben elkaar op de basisschool leren kennen.

Viviana: Ah. Heeft Adam broers of zussen?

Klaus: Ja. Hij heeft een jonger zusje.

Viviana: Hoe oud is zij dan?

Klaus: Zij is zestien. Ze zit nog op de middelbare school.

Viviana: Ik snap het. Gaat zij ook mee naar het meer?

Klaus: Ik denk het wel. Zij is goede vrienden met mijn zusje. Dus we zijn net een soort grote familie!

Viviana: O, wauw! Dat is super.

Klaus: Dat is het inderdaad.

Viviana: Gaat je zusje dit weekend ook mee?

Klaus: Nee, ze moet studeren voor haar toelatingsexamens.

Viviana: Oké, ik snap het.

Klaus: Ze is vet jaloers dat we zonder haar gaan.

Viviana: Nou, hopelijk haalt ze een goed cijfer en kunnen jullie families het samen vieren!

Klaus: Ja! Dat is een goed idee.

MY BEST FRIEND'S FAMILY

Klaus: What will you do this weekend?

Viviana: I don't know yet. What about you?

Klaus: I am going on a trip with my friend Adam's family.

Viviana: Oh, really? Are you close to his family?

Klaus: Yes, they're like my second family.

Viviana: That's so nice. What will you do?

Klaus: They have a house by the lake. So, we are going there.

Viviana: Cool! How many years have you been friends with Adam?

Klaus: About twelve years. We met in elementary school.

Viviana: Aww. Does Adam have siblings?

Klaus: Yes. He has a younger sister.

Viviana: How old is she?

Klaus: She's sixteen. She's still in high school.

Viviana: I see. Will she go to the lake, too?

Klaus: I think so. She's also friends with my sister. So, it's like we're one big family!

Viviana: Oh, wow! That's perfect.

Klaus: It is.

Viviana: Will your sister be there this weekend?

Klaus: No, she has to study for the SATs.

Viviana: Oh, I see.

Klaus: She's really jealous that we are going without her.

Viviana: Well, hopefully she gets a good score and then both of your families can celebrate together!

Klaus: Yes! That's a good idea.

56

EEN VOETBALBLESSURE

-

A SOCCER INJURY (A2)

Logan: Ik denk dat ik naar het ziekenhuis moet.

Mia: Waarom?

Logan: Ik heb mijn voet bezeerd bij het voetballen.

Mia: O, nee toch! Wat is er gebeurd?

Logan: Ik dribbelde met de bal en een kerel van het andere team stapte op mijn voet. Het deed eerst niet zo zeer, maar een paar minuten later begon het enorm pijn te doen. Dus ik zei dat tegen mijn coach en hij wisselde me. Ik denk niet dat het gebroken is, maar er is wel iets aan de hand.

Mia: Kun je erop lopen?

Logan: Een beetje, maar ik wil niet te veel gewicht op mijn voet zetten.

Mia: Heb je er ijs op gedaan?

Logan: Nee, nog niet.

Mia: Je zou het moeten koelen. Ik zal het ook eens aan mijn vriendin Katie vragen. Zij is verpleegster.

Logan: Oké, dankjewel.

(Vijf minuten later ...)

Mia: Katie zei dat je de voet moet koelen en er vooral niet op moet lopen. Ze zei ook dat je vandaag nog naar de spoedhulp moet gaan.

Logan: Nou, vooruit dan maar.

Mia: Ik kan je er om half drie heen brengen.

Logan: Dankjewel! Je hoeft daar niet op me te wachten hoor. Je kunt me gewoon afzetten.

Mia: Ik vind het niet erg om te wachten. Ik moet toch nog veel lezen voor school.

Logan: Weet je het zeker?

Mia: Ja, maak je geen zorgen! Tot straks.

Logan: Heel hartelijk bedankt, hè! Tot half drie.

A SOCCER INJURY

Logan: I think I should go to the hospital.

Mia: Why?

Logan: I hurt my foot playing soccer.

Mia: Oh, no! What happened?

Logan: I was dribbling the ball and a guy on the other team stepped on my foot. It didn't really hurt at first, but then a few minutes later I was in a lot of pain. So, I told my coach and he took me out of the game. I don't think it's broken, but something is wrong.

Mia: Can you walk on it?

Logan: A little, but I don't want to put too much weight on my foot.

Mia: Have you put ice on it?

Logan: No, not yet.

Mia: You should ice it. I'll call my friend Katie who's a nurse.

Logan: Okay, thanks.

(Five minutes later...)

Mia: Katie said to ice the foot and don't walk on it. She said you should try to go to urgent care today.

Logan: Ugh, all right.

Mia: I can drive you there at two thirty.

Logan: Thanks! You don't have to wait there with me. You can just drop me off.

Mia: I don't mind waiting. I have a lot of reading to do for school.

Logan: Are you sure?

Mia: Yeah, no worries! I'll see you soon.

Logan: Thanks so much! I'll see you at two thirty.

57

VAST IN HET VERKEER

-

STUCK IN TRAFFIC (A2)

Ava: Waarom zijn er daar voor ons zoveel rode lichten?

Danny: Dat lijkt op een file.

Ava: Man, ik haat files! Het is zelfs nog niet eens spitsuur.

Danny: Misschien is er een ongeluk gebeurd.

Ava: Wellicht. Kun je proberen verkeersinformatie te vinden op je telefoon?

Danny: Natuurlijk. Volgens de app staat er nog vijftien kilometer file.

Ava: Vijftien kilometer?! Dat gaat lang duren!

Danny: Ja, maar het staat maar zeven kilometer helemaal vast. Daarna wordt het al een beetje beter. Ik denk dat er een ongeluk is gebeurd.

Ava: Nou, hopelijk is er niemand gewond geraakt.

Danny: Ik ook. Trouwens, ik denk dat ik een afsnijweg gevonden heb.

Ava: Echt?

Danny: Ja. Ik kijk hier op de kaart in de app. Er is een route die we kunnen nemen om de file te vermijden.

Ava: Geweldig!

Danny: Maar we zitten nog voor drie kilometer vast voordat we die andere route kunnen nemen.

Ava: Dat geeft niks. Dat kan ik wel hebben.

Danny: Goed zo. Hier afslaan!

Ava: Oké. En dan?

Danny: De komende kilometer rechtdoor, dan rechtsaf de Headway Place op. Daarna achttien kilometer rechtdoor en dan zijn we er!

Ava: En dan hoeven we niet in de file te staan!

Danny: Precies.

STUCK IN TRAFFIC

Ava: Why are there so many red lights up ahead?

Danny: It looks like a traffic jam.

Ava: Ugh, I hate traffic! It's not even rush hour.

Danny: Maybe there was an accident.

Ava: Maybe. Can you try to find information about the traffic on your phone?

Danny: Sure. According to the app, there will be traffic for another ten miles.

Ava: Ten miles?! That's a long time!

Danny: Yes, but the traffic is only heavy for about five miles. After that it gets a little better. I think there was an accident.

Ava: Well, I hope everyone is okay.

Danny: Me too. Actually, I think I found a shortcut.

Ava: Really?

Danny: Yeah. I'm looking at my maps app. There is a route we can take that will help us avoid the traffic.

Ava: Great!

Danny: But we will be stuck in traffic for another three miles before we can take the other route.

Ava: That's okay. I can deal with it.

Danny: All right, exit here!

Ava: Okay. Then what?

Danny: Go straight for one mile, then turn right on Headway Place. After that, we go straight for thirteen miles, and then we arrive!

Ava: And we skip the traffic!

Danny: Yep.

58

JE BENT ONTSLAGEN

-

YOU'RE FIRED (A2)

Alexis: Hoi, David. Kan ik je even spreken in mijn kantoor? Ik wil het ergens met je over hebben.

David: Ja hoor, geen probleem.

Alexis: Ik wilde het hebben over te laat komen. Het is de afgelopen tijd al zeven of acht keer gebeurd dat je meer dan tien minuten te laat bent gekomen. We hebben het er met je over gehad en je beloofde punctueel te zijn. Maar je komt nog steeds te laat op het werk. Als je te laat blijft komen, zullen we je moeten ontslaan.

David: Het spijt me heel erg. Ik heb drie huisgenoten en die geven altijd feestjes. Soms kan ik gewoon niet slapen, omdat er zoveel herrie is. En soms ga ik naar de feestjes, omdat ik pas net in deze stad ben komen wonen en mensen wil ontmoeten en plezier wil hebben.

Alexis: Ik begrijp dat je mensen wilt ontmoeten en plezier wilt hebben, maar dit is je baan. Het is belangrijk dat je punctueel bent.

David: Zou ik niet om half negen op het werk mogen komen in plaats van om acht uur? En dat ik dan tot half zes blijf in plaats van vijf uur?

Alexis: Nee, David. Onze medewerkers moeten om acht uur aanwezig zijn.

David: Ik denk niet dat dat eerlijk is. Ik werk hard en heb het bedrijf enorm geholpen.

Alexis: Ja. Maar je zult de regels moeten respecteren. Weet je, David … je houding is niet al te best. We vereisen van onze medewerkers dat ze punctueel en verantwoordelijk zijn. Deze vrijdag is je laatste werkdag hier.

David: Wat?!

Alexis: Het spijt me, David. Je kunt hier niet langer werken.

YOU'RE FIRED

Alexis: Hi, David. Can I see you in my office? I want to talk to you about something.

David: Yeah, no problem.

Alexis: I want to talk to you about your tardiness. You have been more than ten minutes late seven or eight times recently. We talked to you about it and you promised to be punctual. But you are still coming to work late. If you continue to be late, we will have to terminate you.

David: I'm really sorry. I have three roommates and they always have parties. Sometimes I can't sleep because it's so loud. And sometimes I go to the parties because I just moved to this city and I want to meet people and have fun.

Alexis: I understand that you want to meet people and have fun, but this is your job. It's important that you are punctual.

David: Can I just arrive at work at eight thirty instead of eight o'clock? And then stay until five thirty instead of five o'clock?

Alexis: No, David. Our employees must arrive at eight o'clock.

David: I don't think that's fair. I work hard and I have helped the company a lot.

Alexis: Yes. But you have to respect the rules. You know, David... your attitude is not very good. We need employees that are punctual and responsible. This Friday will be your last day.

David: What?!

Alexis: I'm sorry, David. You can't work here anymore.

59

MIJN DERTIGSTE VERJAARDAG

-

MY THIRTIETH BIRTHDAY (A2)

Daniëlle: Hoi Nolan!

Nolan: Hé Daniëlle!

Daniëlle: Heb al plannen voor vrijdagavond?

Nolan: Ik werk op vrijdag tot zeven uur 's avonds. Waarom?

Daniëlle: Ik ben dit weekend jarig en ik geef vrijdag een feestje.

Nolan: O, cool! Hoe laat is het feestje?

Daniëlle: Rond zes uur, maar het geeft niet als je later komt! We gaan naar een restaurant en na het eten naar een bar. Je kunt je dan in de bar bij ons aansluiten.

Nolan: Oké! Ik kom graag. Ik heb je al een lange tijd niet gesproken!

Daniëlle: Ik weet het! Hoe gaat het over het algemeen?

Nolan: Het gaat goed. Gewoon druk met werk.

Daniëlle: Hoe is het met Anna?

Nolan: Het gaat goed met haar. Ze heeft plezier in haar nieuwe baan.

Daniëlle: Geweldig.

Nolan: Nou, naar welk restaurant ga je?

Daniëlle: Naar Urban Pizzeria. Ben je daar weleens geweest?

Nolan: Nee, maar een van mijn vrienden wel en die zei dat het heel goed was.

Daniëlle: Mooi zo.

Nolan: En naar welke bar ga je daarna?

Daniëlle: Ik weet het nog niet zeker, maar ik laat het je weten!

Nolan: Klinkt goed. Dan zie ik je van het weekend! O, en je hoeveelste verjaardag is dit?

Daniëlle: Het is mijn dertigste. Ik word officieel oud!

Nolan: Nee, nog niet! En je ziet er nog steeds uit alsof je eenentwintig bent.

Daniëlle: O, wauw. Dankjewel! Je krijgt van mij een drankje vrijdag.

Nolan: Haha, oké!

MY THIRTIETH BIRTHDAY

Daniela: Hi, Nolan!

Nolan: Hey, Daniela!

Daniela: Do you have plans on Friday night?

Nolan: I work until 7 p.m. on Friday. Why?

Daniela: It's my birthday this weekend and I'm having a party on Friday.

Nolan: Oh, cool! What time is the party?

Daniela: Around 6:00 p.m. But if you get there late, it's okay! We are going to a restaurant and then a bar after we finish dinner. You can meet us at the bar.

Nolan: Okay! I would love to go. I haven't seen you in a long time!

Daniela: I know! How is everything going?

Nolan: It's good. Just busy with work.

Daniela: How's Ana?

Nolan: She's great. She loves her new job.

Daniela: Awesome.

Nolan: So, which restaurant are you going to?

Daniela: Urban Pizzeria. Have you been there?

Nolan: No, but my friend went there and said it was really good.

Daniela: Yay.

Nolan: And which bar are you going to later?

Daniela: I'm not sure yet, but I will let you know!

Nolan: Sounds good. I'll see you this weekend! Oh, and which birthday is this?

Daniela: It's my thirtieth. I'm officially old!

Nolan: No you're not! And you still look like you're twenty-one.

Daniela: Oh, wow. Thank you! I'm buying you a drink on Friday.

Nolan: Ha ha, okay!

60

DIE IS VAN MIJ

-

THAT'S MINE (A2)

Mathias: Kijk eens wat ik gevonden heb! Mijn lievelings T-shirt! Deze ben ik twee maanden geleden kwijt geraakt.

Jacklyn: Dat is mijn T-shirt.

Mathias: Nee ... die is van mij.

Jacklyn: Je hebt dat shirt aan mij gegeven.

Mathias: Nee, dat heb ik niet. Ik heb het je geleend, omdat je het naar bed aan wilde toen al je andere pyjama's vies waren. En toen is 'ie kwijtgeraakt.

Jacklyn: Ik dacht dat je hem voor goed aan mij gaf.

Mathias: Nee! Ik ben dol op dit shirt. Ik heb het je alleen geleend.

Jacklyn: Oh ...

Mathias: Ik vond hem achter de bank. Hoe komt hij daar terecht?

Jacklyn: Ik weet het niet. Ik denk dat we vaker schoon moeten maken!

Mathias: Inderdaad.

Jacklyn: Nou ... mag ik het shirt hebben?

Mathias: Nee! Het is mijn lievelings T-shirt.

Jacklyn: Kunnen we hem delen?

Mathias: Je mag hem af en toe wel aan. Maar je moet het me eerst vragen.

Jacklyn: Haha, echt?

Mathias: Ja! Je bent een shirtjesdief.

Jacklyn: Oké, prima.

THAT'S MINE

Mathias: Look what I found! My favorite T-shirt! I lost this two months ago.

Jacklyn: That's my T-shirt.

Mathias: No… it's mine.

Jacklyn: You gave that shirt to me.

Mathias: No, I didn't. I lent it to you because you wanted to wear it to bed when all your other pajamas were dirty. And then it disappeared.

Jacklyn: I thought you were giving it to me forever.

Mathias: No! I love this shirt. I was just letting you borrow it.

Jacklyn: Oh…

Mathias: I found it behind the sofa. How did it get back there?

Jacklyn: I don't know. I think we need to clean more often!

Mathias: Yeah.

Jacklyn: So… can I have the shirt?

Mathias: No! It's my favorite T-shirt.

Jacklyn: Can we share it?

Mathias: You can wear it once in a while. But you have to ask me first.

Jacklyn: Ha ha, really?

Mathias: Yes! You're a T-shirt thief.

Jacklyn: Okay, fine.

61

GROENE VINGERS

-

A GREEN THUMB (A2)

Rich: Hoi Maryann.

Maryann: Hallo Rich! Hoe gaat het vandaag?

Rich: Met mij super. Hoe gaat het met jou?

Maryann: Ook goed. Ik ben net mijn planten water aan het geven.

Rich: Ik wilde eigenlijk met jou praten over planten.

Maryann: O, echt?

Rich: Ja. Ik ga met mijn gezin twee weken op reis en ik wilde vragen of jij onze planten water zou kunnen geven zo lang wij weg zijn.

Maryann: Natuurlijk! Ik help mijn lievelingsburen altijd graag.

Rich: Heel hartelijk bedankt! Ik ben zo slecht met planten. Ik weet nooit hoeveel water of licht ik ze moet geven. Ze gaan altijd dood.

Maryann: O, nee! Nou, ik ben blij dat ik je iets kan leren over planten. Mensen zeggen dat ik groene vingers heb.

Rich: Wat bedoel je daarmee? Je vingers zijn toch niet groen.

Maryann: Haha. Nee, ik bedoel niet dat ze *werkelijk* groen zijn. "Groene vingers" betekent dat je goed bent in het zorgen voor planten.

Rich: O! Dat heb ik nog nooit eerder gehoord.

Maryann: Echt niet?!

Rich: Echt niet.

Maryann: Nou, nu ken je die uitdrukking! En daarna leer ik je wat over planten, misschien krijg jij dan ook groene vingers!

Rich: Ik hoop het! Mijn vrouw zegt altijd dat ik onze planten vermoord. Ze zou blij zijn als ze in leven bleven.

Maryann: Ik weet zeker dat jouw planten er ook blij mee zullen zijn!

A GREEN THUMB

Rich: Hi, Maryann.

Maryann: Hello, Rich! How are you today?

Rich: I'm great. How are you?

Maryann: I'm good. I'm just watering my plants.

Rich: I actually wanted to talk to you about your plants.

Maryann: Oh really?

Rich: Yes. My family and I are taking a trip for two weeks, and I wanted to ask you if you can water our plants while we are gone.

Maryann: Of course! I'm always happy to help my favorite neighbors.

Rich: Thanks so much! I am so bad with plants. I never know how much water or light to give them. They always die.

Maryann: Oh no! Well, I'm happy to teach you a little about plants. People say I have a green thumb.

Rich: What do you mean? Your thumb isn't green.

Maryann: Ha ha. No, I don't mean it's *actually* green. "A green thumb" means you are good at taking care of plants.

Rich: Oh! I've never heard that before.

Maryann: Really?!

Rich: Really.

Maryann: Well, now you know that expression! And after I teach you about plants, maybe your thumb will turn green, too!

Rich: I hope so! My wife says I always kill our plants. She will be happy if our plants stay alive.

Maryann: I'm sure your plants will be happy, too!

62

JOUW PERFECTE DAG

-

YOUR PERFECT DAY (A2)

Ji-hwan: Zullen we een spelletje doen?

Juliette: Een spelletje? Wat voor een soort spelletje?

Ji-hwan: Doe je ogen eens dicht en stel je jouw perfecte dag voor.

Juliette: Waarom moet Ik mijn ogen daarvoor dichtdoen?

Ji-hwan: Omdat dat helpt om je dingen beter voor te stellen.

Juliette: Oké.

Ji-hwan: In orde, dus hoe begin je jouw dag?

Juliette: Ik word wakker en ik lig in een super comfortabel bed in een geweldig huis op Bali.

Ji-hwan: Bali! Cool. En dan?

Juliette: Ik hoor het geluid van een waterval buiten mijn slaapkamer en hoor de vogeltjes fluiten. Ik loop naar buiten en zie een prachtig uitzicht. Ik heb een privézwembad en achter mijn privézwembad is er een regenwoud. En daar vliegen de vlinders om me heen.

Ji-hwan: Dat klinkt prachtig. Wat doe je nu?

Juliette: Een knappe man brengt me mijn ontbijt.

Ji-hwan: Wacht ... ík of een andere knappe man?

Juliette: Ik zei een *knappe* man.

Ji-hwan: Dat is gemeen!

Juliette: Grapje! Jij zei "de perfecte dag" en dit is mijn perfecte dag.

Ji-hwan: Okay, prima. Ga verder.

Juliette: Een knappe man brengt me mijn ontbijt. Het smaak heerlijk en ik geniet ervan en kijk naar de prachtige omgeving. Dan komt er een baby olifant naar me toe rennen en spelen we een uur samen.

Ji-hwan: Wauw.

Juliette: En daarna zwem ik in de rivier en waterval vlakbij mijn huis.

Ji-hwan: Ben ik daar?

Juliette: Ja, nu ben jij bij me. Je sliep, maar de baby olifant maakte je wakker. De hele dag verkennen we de stranden en de jungle!

Ji-hwan: Dat klinkt geweldig! Kunnen we dat ook in het echt doen?

Juliette: Ja. We moeten alleen eerst een hele berg geld verdienen!

Ji-hwan: Haha, oké! Nu ben ik gemotiveerd!

YOUR PERFECT DAY

Ji-hwan: Let's play a game.

Juliette: A game? What kind of game?

Ji-hwan: Close your eyes and imagine your perfect day.

Juliette: Why do I need to close my eyes?

Ji-hwan: Because it will help you imagine it better.

Juliette: Okay.

Ji-hwan: All right, so how do you begin your day?

Juliette: I wake up, and I am in a super comfortable bed in an amazing house in Bali.

Ji-hwan: Bali! Cool. Then what?

Juliette: I hear the sound of a waterfall outside my bedroom, and the birds are chirping. I walk outside and I see a beautiful view. I have a private pool and behind my private pool there is a rainforest. And there are butterflies flying around me.

Ji-hwan: That sounds beautiful. What do you do now?

Juliette: A handsome man delivers breakfast to me.

Ji-hwan: Wait—me or a different handsome man?

Juliette: I said a *handsome* man.

Ji-hwan: That's mean!

Juliette: I'm kidding! You said "perfect day" and this is my perfect day.

Ji-hwan: Okay, fine. Continue.

Juliette: A handsome man delivers breakfast to me. It's delicious and I'm enjoying it and looking at the beautiful scenery. Then a baby elephant runs over to me and we play for an hour.

Ji-hwan: Wow.

Juliette: And then I swim in the river and the waterfall near my house.

Ji-hwan: Am I there?

Juliette: Yes, now you're with me. You were sleeping but the baby elephant woke you up. Then we explore beaches and jungles all day!

Ji-hwan: That sounds amazing! Can we do that in real life?

Juliette: Yes. We just need to make a lot more money first!

Ji-hwan: Ha ha, okay! Now I'm motivated!

63

WELKE TAAL WIL JIJ LEREN?

-

WHAT LANGUAGE DO YOU WANT TO LEARN? (A2)

Vanessa: Hoeveel talen spreek jij, Jay?

Jay: Alleen Engels. Ik heb Spaans gehad op de middelbare school, dus dat kan ik een beetje. En jij dan?

Vanessa: Ik spreek Engels en Spaans, en ik heb op de middelbare school en hogeschool Frans gehad.

Jay: O, wauw! Vond je het moeilijk om Frans te leren?

Vanessa: Niet echt. Het lijkt op Spaans.

Jay: Tja, dat klinkt logisch. Spaans en Engels lijken ook op elkaar.

Vanessa: Klopt. Ze lijken meer op elkaar dan bijvoorbeeld Engels en Chinees!

Jay: Ja, veel meer! Ik wil eigenlijk wel Chinees leren.

Vanessa: Echt? Waarom dan?

Jay: Nou, ik wil een zakenman worden en ik denk dat Chinees in de toekomst erg praktisch zal zijn. Het wordt steeds gebruikelijker.

Vanessa: Ja, dat is zo. Maar Chinees is heel moeilijk om te leren, toch?

Jay: Ja. Het is heel moeilijk. Vooral lezen, schrijven en de uitspraak.

Vanessa: Hoe leer je het?

Jay: Ik heb een tekstboek en ik kijkChinese tv-shows via internet.

Vanessa: Dat is cool! Wanneer ben je begonnen Chinees te leren?

Jay: Ongeveer drie maanden geleden. Ik ben nog steeds een beginner. Maar ik kan al een paar zinnen, daar ben ik al heel blij mee.

Vanessa: Dat is geweldig! En ik denk dat het een goed idee is om Chinees te leren. Als je solliciteert zullen bedrijven geïnteresseerd zijn in jouw sollicitatie.

Jay: Ik hoop het. Welke taal wil jij leren?

Vanessa: Ik wil Italiaans leren. Ik vind het zo mooi klinken.

Jay: Mee eens! Je zou Italiaans moeten gaan leren.

Vanessa: Eigenlijk word ik door je geïnspireerd. Ik denk dat ik nu met het leren ga beginnen!

Jay: Geweldig!

WHAT LANGUAGE DO YOU WANT TO LEARN?

Vanessa: How many languages do you speak, Jay?

Jay: Just English. I studied Spanish in high school so I know a little bit of it. What about you?

Vanessa: I speak English and Spanish, and I studied French in middle school and high school.

Jay: Oh, wow! Was French hard for you to learn?

Vanessa: Not really. It's similar to Spanish.

Jay: Yeah, that makes sense. Spanish and English are similar, too.

Vanessa: True. They are more similar than English and Chinese, for example!

Jay: Yes, much more similar! Actually, I want to learn Chinese.

Vanessa: Really? Why?

Jay: Well, I want to be a businessman, and I think Chinese will be very useful in the future. It is becoming more widespread.

Vanessa: Yes, it is. But Chinese is very difficult to learn, right?

Jay: Yeah. It's very hard. Especially reading, writing, and pronunciation.

Vanessa: How are you studying?

Jay: I have a textbook and I watch some Chinese TV shows on the Internet.

Vanessa: That's so cool! When did you start learning Chinese?

Jay: About three months ago. I'm still a beginner. But I can say a few sentences, so I'm happy about that.

Vanessa: That's awesome! And I think it's a good idea to study Chinese. When you apply for jobs, the companies will be interested in your application.

Jay: I hope so. What language do you want to learn?

Vanessa: I want to learn Italian. I think it's so beautiful.

Jay: I agree! You should study Italian.

Vanessa: Actually, you are inspiring me. I think I will start learning it now!

Jay: Great!

64

JE HEBT TE VEEL SCHOENEN!

-

YOU HAVE TOO MANY SHOES! (A2)

Brandon: Steph, de kast zit zo vol! Er is geen ruimte voor mijn kleren.

Stephanie: Oeps. Het spijt me. Ik heb veel schoenen.

Brandon: Je hebt te veel schoenen! En hoeveel paar schoenen heb je eigenlijk?

Stephanie: Uhm … Ik had er vorige maand vierenveertig. Maar ik heb afgelopen week nog een paar gekocht.

Brandon: Dus je hebt vijfenveertig paar schoenen?!

Stephanie: Ja.

Brandon: Heb je echt vijfenveertig paar schoenen nodig?

Stephanie: Ik hou echt heel erg van schoenen. En de meeste draag ik.

Brandon: Maar je draagt ze niet allemaal. Je zou er een aantal kunnen doneren aan een goed doel.

Stephanie: Je hebt gelijk. Ik zal nu naar mijn schoenen kijken en besluiten welke ik wil houden.

Brandon: Ik denk dat dat een heel goed idee is. Wil je hulp?

Stephanie: Natuurlijk.

Brandon: Oké … wat denk je van deze paarse?

Stephanie: Daar ben ik dol op! Die had ik aan op de bruiloft van Isabelle en naar mijn kantoorfeestje vorig jaar.

Brandon: Dus je hebt ze twee keer gedragen?

Stephanie: Ja.

Brandon: Wanneer ga je ze weer aan doen?

Stephanie: Ik weet het niet. Misschien volgend jaar.

Brandon: Volgend jaar?! Wil je ze echt een jaar lang in de kast hebben staan? Als je ze aan het goede doel geeft kan iemand anders ze dragen.

Stephanie: Ja, je hebt gelijk. Dag paarse schoenen. Ik heb ervan genoten jullie te dragen!

Brandon: Goed gedaan, Steph! Oké, wat denk je van deze blauwe sneakers ...?

YOU HAVE TOO MANY SHOES!

Brandon: Steph, the closet is so full! There is no space for my clothes.

Stephanie: Oops. I'm sorry. I have a lot of shoes.

Brandon: You have too many shoes! And how many pairs of shoes do you have?

Stephanie: Umm... I had thirty-four last month. But I bought another pair last week.

Brandon: So, you have thirty-five pairs of shoes?!

Stephanie: Yes.

Brandon: Do you really need thirty-five pairs of shoes?

Stephanie: I really like shoes. And I wear most of them.

Brandon: But you don't wear all of them. You should donate some of your shoes to charity.

Stephanie: You're right. I will look at all my shoes now and decide which ones I want to keep.

Brandon: I think that's a really good idea. Do you want some help?

Stephanie: Sure.

Brandon: Okay.... what about these purple ones?

Stephanie: I love those! I wore those to Isabelle's wedding and to my office party last year.

Brandon: So, you only wore them two times?

Stephanie: Yes.

Brandon: When will you wear them again?

Stephanie: I don't know. Maybe next year.

Brandon: Next year?! Do you really want to keep these in the closet for a year? If you give them to charity, another person can wear them.

Stephanie: Yeah. You're right. Bye, purple shoes. I enjoyed wearing you!

Brandon: Good job, Steph! Okay, what about these blue sneakers...?

65

DAT IS NIET ERG AARDIG
-
THAT'S NOT VERY NICE (A2)

Arianna: Kristoffer! Noem je zusje niet "stom"! Dat is niet erg aardig.

Kristoffer: Maar ze heeft mijn bal afgepakt!

Arianna: Nou, dat was ook niet aardig van haar. Maar dan hoef je haar nog niet stom te noemen. Dat is geen aardig woord.

Kristoffer: Boeit me niks. Ik ben boos op haar.

Arianna: Zeg alsjeblieft sorry tegen haar.

Kristoffer: Nee.

Arianna: Kris, luister naar me. Bied je zusje jouw excuses aan.

Kristoffer: Dat doe ik later wel.

Arianna: Doe het alsjeblieft nu.

Kristoffer: Vooruit. Sorry, Kate.

Arianna: Waar zeg je sorry voor? Vertel haar dat.

Kristoffer: Sorry dat ik je stom noemde.

Arianna: Dankjewel, Kris. En heb je dat gehoord? Ze heeft ook haar excuses aangeboden.

Kristoffer: Oké. Zussen zijn vervelend.

Arianna: Zussen zijn fantastisch. Mijn zus is mijn beste vriendin. Toen we kinderen waren, maakten we vaak ruzie. Maar nu ben ik zo dankbaar dat ze er is.

Kristoffer: Waar maakten jij en tante Kristina dan ruzie over?

Arianna: Over alles. Gewone kinderdingen.

Kristoffer: Pakte ze ooit jouw speelgoed af?

Arianna: Natuurlijk.

Kristoffer: Wat deed je dan?

Arianna: Dan werd ik boos en soms zei ik gemene dingen tegen haar. Maar mijn moeder liet ons dan altijd sorry zeggen tegen elkaar. En daarna voelden we ons beter.

Kristoffer: Ik voel me niet beter.

Arianna: Misschien nu nog niet, maar dat komt wel.

Kristoffer: Oké. Mag ik nu buiten gaan spelen?

Arianna: Ja. Maar het avondeten is over een half uur.

Kristoffer: Oké. Bedankt, mam.

Arianna: Tuurlijk, liefje.

THAT'S NOT VERY NICE

Arianna: Kristoffer! Don't call your sister "stupid"! That's not very nice.

Kristoffer: But she took my ball!

Arianna: Well, that was not nice of her. But you should not call her stupid. That's not a nice word.

Kristoffer: I don't care. I'm mad at her.

Arianna: Please tell her you're sorry.

Kristoffer: No.

Arianna: Kris, listen to me. Apologize to your sister.

Kristoffer: I'll do it later.

Arianna: Please do it now.

Kristoffer: Fine. Kate, I'm sorry.

Arianna: What are you sorry for? Tell her.

Kristoffer: I'm sorry I called you stupid.

Arianna: Thank you, Kris. And did you hear her? She just apologized to you, too.

Kristoffer: Okay. Sisters are so annoying.

Arianna: Sisters are wonderful. My sister is my best friend. When we were kids, we fought a lot. But now I am so grateful for her.

Kristoffer: What did you and Aunt Kristina fight about?

Arianna: Everything. Normal kid things.

Kristoffer: Did she ever take your toys?

Arianna: Of course.

Kristoffer: What did you do?

Arianna: I got angry at her and sometimes I said mean things to her. But then my mom told us to say I'm sorry to each other. And we felt better after.

Kristoffer: I don't feel better.

Arianna: Maybe not yet. But you will.

Kristoffer: Okay. Can I go play outside now?

Arianna: Yes. But dinner will be ready in half an hour.

Kristoffer: All right. Thanks, Mom.

Arianna: Of course, sweetie.

66

EEN BANKREKENING OPENEN

-

SETTING UP A BANK ACCOUNT (B1)

Bankmedewerker: Hallo! Waar kan ik u mee helpen?

James: Hoi. Ik wil een bankrekening openen.

Bankmedewerker: Goed! Daar kan ik u mee helpen. Wat voor een soort bankrekening wilt u openen?

James: Een betaalrekening.

Bankmedewerker: In orde. Alleen een betaalrekening? Of wilt u ook een spaarrekening openen?

James: Nee, alleen een betaalrekening.

Bankmedewerker: Prima. Dan zult u tenminste vijfentwintig euro moeten storten om de rekening te openen.

James: Dat is prima. Mag ik ook meer storten?

Bankmedewerker: Ja, natuurlijk! U kunt zoveel storten als u wilt, als het maar meer dan vijfentwintig euro is.

James: Oké. Dan begin ik met honderd euro.

Bankmedewerker: Dat klinkt goed. Dan heb ik uw rijbewijs en burgerservicenummer nodig. En u zult dit formulier met uw basisgegevens in moeten vullen.

James: Ik heb mijn identiteitskaart niet bij me. Is dat erg? Want ik weet mijn nummer wel.

Bankmedewerker: Dat is geen probleem. We hebben alleen uw nummer nodig.

James: Oké. Krijg ik mijn bankpas vandaag?

Bankmedewerker: Nee, het duurt tussen de vijf en tien dagen totdat u uw kaart krijgt. Die ontvangt u per post.

James: O, hoe kan ik dan aankopen doen voordat ik mijn bankpas krijg?

Bankmedewerker: U zult uw eerdere betaalrekening moeten gebruiken of u kunt vandaag geld opnemen en dat gebruiken totdat u uw kaart ontvangt.

James: Ik begrijp het. In orde. Bedankt voor uw hulp.

Bankmedewerker: U ook bedankt! Een fijne dag verder!

James: Dankuwel, u ook.

SETTING UP A BANK ACCOUNT

Bank employee: Hello! How can I help you?

James: Hi. I need to set up a bank account.

Bank employee: Great! I can help you with that. What kind of account would you like to open?

James: A checking account.

Bank employee: All right. Just a checking account? Would you like to open a savings account as well?

James: No, just a checking account.

Bank employee: Perfect. So, you'll need to deposit at least twenty-five dollars to open the account.

James: That's fine. Can I deposit more?

Bank employee: Yes, of course! You can start with however much you'd like, as long as it's over twenty-five dollars.

James: Okay. I'll start with one hundred dollars.

Bank employee: Sounds good. I'll need your driver's license and social security number. And you'll need to fill out this form with your basic information.

James: I don't have my social security card with me. Is that okay? But I know my number.

Bank employee: That's fine. We just need your number.

James: Okay. Do I get a debit card today?

Bank employee: No, it takes between five and ten days to receive your card. You'll get it in the mail.

James: Oh. How do I make purchases before I get my debit card?

Bank employee: You'll have to use your previous checking account, or you can withdraw some cash today and use that until you receive the card.

James: I see. All right, thanks for your help.

Bank employee: Thank you, too! Have a good day!

James: Thanks; you too.

67

WACHTEN IN DE GATE

-

WAITING TO BOARD AN AIRPLANE (B1)

Mason: Wanneer beginnen ze met boarden?

Alexis: Dat begint nu.

Mason: O, oké. Dan kunnen we onze boardingpassen er maar beter bijpakken.

Alexis: Ja. Wat zijn onze stoelnummers?

Mason: 47B en 47C. In het midden en langs het gangpad.

Alexis: Ik vind het niet erg om in het midden te zitten als jij langs het gangpad wil zitten.

Mason: Het is een korte vlucht, dus ik vind het ook niet erg om in het midden te zitten.

Alexis: Jij hebt langere benen, dus neem jij die bij het gangpad maar.

Mason: Bedankt! Ik trakteer je op een drankje als we in Seattle landen.

Alexis: Haha, afgesproken!

Mason: Er staan zoveel mensen in de rij. Ik denk dat het een volle vlucht wordt.

Alexis: Ik denk dat je gelijk hebt. Het verbaast me niks. Het is een lang weekend.

Mason: Inderdaad. Ik hoop dat er genoeg ruimte is voor onze tassen in de bagageruimte boven de stoelen. We hebben een risico genomen door onze tassen niet in te checken!

Alexis: Ik weet het. Het is wel een soort van gedoe om je handbagage mee te slepen, maar ik heb mijn bagage liever bij me. En ik wil niet op mijn tas wachten bij de bagageband.

Mason: Ja. Soms duurt het een eeuwigheid voordat de tassen eruit komen! Als ik aankom wil ik alleen maar het vliegveld uit en aan mijn reis beginnen!

Alexis: Nou, ik ook. Ik ben ook niet geduldig. Dat zal de reden zijn waarom we vrienden zijn!

Mason: Haha. Dat is een van de vele redenen!

WAITING TO BOARD AN AIRPLANE

Mason: When does boarding start?

Alexis: It's starting now.

Mason: Oh, okay. We'd better get our boarding passes out.

Alexis: Yeah. What are our seat numbers?

Mason: 47B and 47C. Middle and aisle seats.

Alexis: I don't mind sitting in the middle if you want the aisle seat.

Mason: It's a short flight, so I really don't mind sitting in the middle.

Alexis: You have longer legs, so you can take the aisle.

Mason: Thanks! I'll buy you a drink when we land in Seattle.

Alexis: Ha ha, deal!

Mason: There are so many people in line; I think it will be a full flight.

Alexis: I think you're right. I'm not surprised; it's a holiday weekend.

Mason: Right. I hope there is enough space for our bags in the overhead bins. We took a risk by not checking our bags!

Alexis: I know. It's kind of a pain to lug around a carry-on bag, but I prefer to have my bag with me. And I don't like waiting for my bag at the baggage carousel.

Mason: Yeah. Sometimes it can take forever for the bags to come out! When I arrive I just want to get out of the airport and start my trip!

Alexis: Me too. I'm not patient, either. That must be why we're friends!

Mason: Ha ha. That's one of the many reasons!

68

EEN HOND ADOPTEREN

-

ADOPTING A DOG (B1)

Wendy: Ik denk dat Barley een maatje nodig heeft.

Juan: Wil je nog een hond nemen? Weet je zeker dat je daar de tijd voor hebt?

Wendy: Ja, ik denk dat het tijd is.

Juan: Oké, wat voor een soort overweeg je te nemen?

Wendy: Ik weet het niet zeker, maar ik denk dat ik er een wil adopteren. Er zijn veel honden in het asiel, dus wil ik een vondeling.

Juan: Maar maak jij je geen zorgen over de persoonlijkheid van de hond? Wat als het een gemene hond is?

Wendy: Mijn vrienden hebben honden uit het asiel en al die honden zijn zo lief. Ik denk dat die honden zo dankbaar zijn om in een liefdevol huis te komen en hun liefdevolle persoonlijkheden lijken dat uit te stralen.

Juan: Dat zou wel eens waar kunnen zijn. Brisket, de hond van je vriend, lijkt erg lief en ik weet dat die ook geadopteerd is.

Wendy: Precies!

Juan: Dus waar ga je heen om een hond te adopteren? Ga je naar het asiel?

Wendy: Ja, maar ik kan ook op internet kijken naar websites van adoptiecentra of organisaties die dieren redden om er een te vinden.

Juan: Ik snap het. Kies je er dan gewoon een uit en brengen ze het dier dan naar je toe?

Wendy: Nee, je moet een adoptieformulier invullen en ik denk dat er dan iemand van de organisatie langskomt om het huis te controleren.

Juan: Wauw, dit is nog veel ingewikkelder dan ik dacht.

Wendy: Ja, ik denk dat ze gewoon zeker willen weten dat de hond voor goed een goed thuis krijgt. Ik heb gehoord dat veel dieren teruggebracht worden naar het asiel nadat ze geadopteerd worden.

Juan: Nou, hopelijk kunnen Barley en de nieuwe hond goed met elkaar opschieten.

Wendy: Dat hoop ik ook. Ik kan niet wachten om nog een hond te adopteren!

ADOPTING A DOG

Wendy: I think Barley needs a buddy.

Juan: You want to get another dog? Are you sure you have time for that?

Wendy: Yeah, I think it's time.

Juan: Okay, what kind of dog are you thinking of getting?

Wendy: I'm not sure, but I know I want to adopt one. There are a lot of dogs at the shelter, so I want to adopt a rescue.

Juan: But aren't you worried about the dog's personality? What if the dog is mean?

Wendy: My friends have rescues and each dog is so loving. I think the dogs are grateful to be in a loving home and their loving personalities seem to reflect that.

Juan: I guess that's true. Your friend's dog Brisket seems to be very loving, and I know he was adopted.

Wendy: Exactly!

Juan: So where are you going to go to adopt a dog? The pound?

Wendy: Yeah, but I can also go on the Internet sites for adoption centers or pet rescue organizations to find one.

Juan: I see. Do you just pick one and they deliver the pet to you?

Wendy: No, you have to fill out an adoption form, and I think someone from the organization comes over to do a home check.

Juan: Wow, this is much more complicated than I thought.

Wendy: Yeah, I think they're just trying to make sure that the dog is going to a good home permanently. I have heard that many animals are returned to shelters after they are adopted.

Juan: Well, hopefully Barley and the new dog will get along.

Wendy: I hope so, too. I can't wait to adopt another dog!

69

EEN DAG OP HET STRAND

-

A DAY AT THE BEACH (B1)

Josh: Hé Rebecca! Ik begon al te denken dat je het niet zou redden. Ik ben blij dat je er bent.

Rebecca: Ja, het duurde best lang om hier te komen. Ik ben naar Californië verhuisd om dichter bij het strand te zijn, dus dit is het waard. Bovendien is het weer de laatste tijd prachtig.

Josh: Maar je woont in West Covina. Woon je dan niet op vier uur van het strand?

Rebecca: Ja, maar dat is met files. Vandaag heeft het me maar twee uur gekost.

Josh: Dat is nog steeds best ver, maar oké! Hé, heb je honger? We hebben van alles te eten hier.

Rebecca: Nou, zeker! Wat heb je allemaal?

Josh: We hebben normale hotdogs, pittige hotdogs, hotdogs met spek en hotdogs van kalkoensvlees.

Rebecca: Heb je ook iets dat geen hotdog is?

Josh: Ik denk dat Nathanaël de laatste hamburger op heeft gegeten. Maar we hebben nog een berg chips en dipsausjes en allerlei soorten drankjes in de koelboxen die daar staan.

Rebecca: Geweldig! Nou, doe dan toch maar een hotdog met spek als je die nog over hebt.

Josh: Natuurlijk, alsjeblieft.

Rebecca: Bedankt, dit ziet er heerlijk uit! Trouwens, heb je ook zonnebrandcrème, ik denk dat ik de mijne thuis heb laten liggen.

Josh: Ja, hier heb ik er een.

Rebecca: Bedankt! Gaan jullie met z'n allen volleybal spelen?

Josh: Waarschijnlijk wel, maar ik heb zo laat gegeten dat ik eerst een half uurtje wacht voordat ik ga spelen. Ik wil er geen buikpijn van krijgen.

Rebecca: Goed idee. Wil je in mijn team?

Josh: Tuurlijk!

Rebecca: Mooi zo! Dit wordt zo leuk!

A DAY AT THE BEACH

Josh: Hey, Rebecca! I was beginning to think you weren't going make it. I'm glad you're here.

Rebecca: Yeah, it took a while to get here. I moved to California to be closer to the beach so this is worth it. Plus, the weather has been beautiful lately.

Josh: But you live in West Covina. Aren't you four hours from the beach?

Rebecca: Yeah, but that's with traffic. It only took me two hours today.

Josh: That's still pretty far, but all right! Hey, are you hungry? We have lots of food here.

Rebecca: I am! What do you have?

Josh: We have regular hot dogs, spicy hot dogs, bacon-wrapped hot dogs, and turkey hot dogs.

Rebecca: Do you have anything that's not a hot dog?

Josh: I think Nathaniel ate the last hamburger. But we have tons of chips and dip and all kinds of beverages in the coolers over there.

Rebecca: Great! Actually, I'll have a bacon-wrapped hot dog if you have any left.

Josh: Sure, here you go.

Rebecca: Thanks, this looks delicious! By the way, do you have any sunscreen? I think I left mine at the house.

Josh: Yes, I have some right here.

Rebecca: Thanks! Are you going to play volleyball with everyone?

Josh: Probably, but I just ate so I'm going to wait half an hour before I play. I don't want to get a stomachache.

Rebecca: Good idea. Do you want to be on my team?

Josh: Sure!

Rebecca: Great! This is going to be so much fun!

70

CHEESEBURGERS MAKEN

-

LET'S MAKE CHEESEBURGERS (B1)

Whitney: Ik heb honger. Ik heb de hele dag nog niks gegeten.

John: Wat wil je eten? Ik heb ook honger.

Whitney: Ik wil een cheeseburger. Kun je me laten zien hoe je die maakt? Jij maakt namelijk echt lekkere cheeseburgers!

John: Uiteraard!

Whitney: Ik heb nog een paar ingrediënten voor ons.

John: Echt? Heb jij hamburgers?

Whitney: Ja. Ik heb ook rundergehakt.

John: En wat voor een smaakmakers?

Whitney: Ik heb mosterd, mayonaise, ketchup en sweet relish.

John: Perfect! Ik heb toevallig nog sla en tomaten als je die wilt.

Whitney: Ik denk dat ik een burger maak met speciale saus en Amerikaanse kaas.

John: Oké, cool. Laten we alles klaarzetten voordat we de hamburgers maken.

Whitney: Wat wil je dat ik doe?

John: Jij kunt de speciale saus maken terwijl ik de broodjes rooster. Mix gelijke delen mosterd, mayonaise, ketchup en sweet relish door elkaar in een kom.

Whitney: Oké.

John: Ik rooster de broodjes met een klein beetje boter.

Whitney: De speciale saus is klaar. Wat moet ik nu doen?

John: Verkruimel het rundergehakt op een snijplank en maak een rondje met het gehakt.

Whitney: Doe ik dan het eigeel er middenin?

John: Ja! Goed onthouden! Je zou ook wat olijfolie er overheen moeten sprenkelen en er wat zout en peper overheen kunnen strooien. Mix daarna alles door elkaar en vorm twee ballen van het gehakt. Knijp het vlees niet te dicht samen. Ik zal de pan klaarzetten.

Whitney: Wat doen we daarna?

John: Wanneer de pan heet is, leggen we de gehaktbal in de pan en dan drukken we hem plat tot een hamburger. Bak de hamburger ongeveer een minuut per kant. Daarna komt de kaas er bovenop. Tot slot zet je het pitje uit en laat je de hamburger nog een paar minuten liggen. Als de hamburger wat is afgekoeld kun je het broodje beleggen en hem opeten.

Whitney: Klinkt goed! Ik kan niet wachten!

LET'S MAKE CHEESEBURGERS

Whitney: I'm hungry. I haven't eaten all day.

John: What do you want to eat? I am hungry, too.

Whitney: I want a cheeseburger. Can you show me how to make one? You make really good cheeseburgers!

John: Sure!

Whitney: I have some ingredients for us.

John: Really? Do you have hamburger buns?

Whitney: Yes. I also have ground beef.

John: What about condiments?

Whitney: I have mustard, mayonnaise, ketchup, and sweet relish.

John: Perfect! I happen to have some lettuce and tomatoes if you want some.

Whitney: I think I will have a burger with special sauce and American cheese.

John: Okay, cool. Let's get everything prepped before we make the burgers.

Whitney: What would you like me to do?

John: You can make the special sauce while I toast the buns. Mix equal parts mustard, mayonnaise, ketchup, and sweet relish together in a bowl.

Whitney: Okay.

John: I will toast the buns with a little bit of butter.

Whitney: The special sauce is ready. What do I do next?

John: Crumble the ground beef on a cutting board and make a circle with the ground beef.

Whitney: Do I add the egg yolk in the middle?

John: Yes! Good memory! You should also drizzle some olive oil and sprinkle on some salt and pepper. Then, mix everything together and form two balls from the ground beef. Don't pack the meat too tightly. I will get the pan ready.

Whitney: What do we do next?

John: Once the pan is hot, place a meat ball on the pan and then smash the ball into a patty. Cook the patty for a minute on each side. Then, add the cheese on top. Finally, turn off the heat and let the burger rest for a few minutes. Once the burger is cool, you can make your burger and eat it.

Whitney: Sounds great! I can't wait!

71

ER ZIT EEN HAAR IN MIJN ETEN

-

THERE'S A HAIR IN MY FOOD (B1)

Gerald: Hoe bevalt jouw salade?

Millie: Hij is wel oké, maar niet geweldig. Hoe is jouw quiche?

Gerald: Die is eigenlijk fantastisch. Hij heeft enorm veel smaak. En … o, jeetje. Ook nog wat anders.

Millie: Wat?

Gerald: Een haar.

Millie: Een haar? Een mensenhaar?

Gerald: Ja, en hij is best lang.

Millie: Weet je het zeker?

Gerald: Daar is 'ie.

Millie: Gerald …

Gerald: Ik bedoel, dit restaurant is niet goedkoop. Er zou geen haar in ons eten mogen zitten.

Millie: Gerald!

Gerald: Wat is er?

Millie: De haar in je quiche is wit.

Gerald: Dus? Wat wil je daarmee zeggen?

Millie: Kijk eens rond. Er is niemand in het restaurant die wit haar heeft.

Gerald: Uh …

Millie: Ik denk dat het jouw haar is.

THERE'S A HAIR IN MY FOOD

Gerald: How's your salad?

Millie: It's okay. Not amazing. How's your potpie?

Gerald: It's great, actually. It has a ton of flavor. And... oh my gosh. It has something else, too.

Millie: What?

Gerald: A hair.

Millie: A hair? A human hair?

Gerald: Yeah, and it's pretty long.

Millie: Are you sure?

Gerald: It's right here.

Millie: Gerald...

Gerald: I mean, this restaurant isn't cheap. There shouldn't be hair in our food.

Millie: Gerald!

Gerald: What is it?

Millie: The hair in your potpie is white.

Gerald: So? What's your point?

Millie: Take a look around. There's no one else here who has white hair.

Gerald: Uh...

Millie: I think that's your hair.

72

LINKSHANDIG OF RECHTSHANDIG?

-

RIGHT-HANDED OR LEFT-HANDED? (B1)

Santiago: Jij bent rechtshandig, of niet?

Lauren: Ja, jij ook toch?

Santiago: Ja. Maar mijn vader en broer zijn linkshandig.

Lauren: O, dat is interessant. Speelt rechts- en linkshandig zijn binnen families?

Santiago: Ik heb geen idee. Maar ik heb gehoord dat persoonlijkheid en andere eigenschappen verbonden zijn met je dominante hand.

Lauren: Echt? Wat heb je gehoord?

Santiago: Ik weet niet zeker of het waar is, maar ik heb gehoord dat rechtshandige mensen vaker hoger scoren op intelligentietesten en dat ze langer leven.

Lauren: Oh wauw. Is dat echt waar?

Santiago: En dat linkshandige mensen creatiever schijnen te zijn en grotere kans hebben genieën zijn. O, en linkshandige mensen iets van vijfentwintig procent meer geld verdienen dan rechtshandigen.

Lauren: Zo zo. Ik vraag me af waar dat dan door komt.

Santiago: Nou, misschien als ik linkshandig was, zou ik een genie zijn en begrijpen waarom!

Lauren: Haha, dat is waar! We zijn niet slim genoeg om het te begrijpen.

Santiago: Er zijn ook veel wereldleiders en historische personen die linkshandig zijn. Obama is linkshandig. Net als George W. Bush en Bill Clinton. Naar verluid waren Alexander de Grote, Julius Caesar en Napoleon ook linkshandigen. En een aantal muzikanten, waaronder Kurt Cobain en Jimi Hendrix.

Lauren: Wauw, hoe komt het dat je hier zoveel over weet?

Santiago: Ik weet het niet! Ik vind het fascinerend.

Lauren: Dat is het zeker. Nu zou ik wel linkshandig willen zijn.

Santiago: Tja, je bent al achtentwintig, dus ik weet niet of je dat nu nog kunt veranderen!

RIGHT-HANDED OR LEFT-HANDED?

Santiago: You're right-handed, aren't you?

Lauren: Yeah. You are too, right?

Santiago: Yes. But my dad and brother are left-handed.

Lauren: Oh, interesting. Does right- and left-handedness run in families?

Santiago: I have no idea. But I've heard that personality and other characteristics are connected to your dominant hand.

Lauren: Really? What have you heard?

Santiago: I'm not sure if it's true, but I read that right-handed people often score higher on intelligence tests and they live longer.

Lauren: Oh wow. No way.

Santiago: And left-handed people tend to be more creative and are more likely to be geniuses. Oh, and left-handed people earn something like 25 percent more money than right-handed people.

Lauren: Whoa. I wonder why that happens.

Santiago: Well, maybe if I were left-handed I'd be a genius and understand why!

Lauren: Ha ha, true! We aren't smart enough to understand it.

Santiago: There have also been a lot of world leaders and historical figures who were left-handed. Obama is left-handed. So are George W. Bush and Bill Clinton. Supposedly, Alexander the Great, Julius Caesar, and Napoleon were lefties. And some musicians like Kurt Cobain and Jimi Hendrix.

Lauren: Wow, how do you know so much about this?

Santiago: I don't know! I think it's fascinating.

Lauren: It is. Now I wish I were left-handed.

Santiago: Well, you're twenty-eight years old, so I'm not sure you can change that now!

73

FLESSENPOST

\-

MESSAGE IN A BOTTLE (B1)

Scott: Ik hou zoveel van dit strand. Het is altijd leeg en het water is zo helder.

Sky: Het is ons eigen kleine stukje hemel.

Scott: Het zand is zo zacht! Het voelt als poeder.

Sky: Witte zandstranden zijn zo fijn.

Scott: Vind je deze plek ook niet heerlijk?

Sky: Ja, echt wel. De zeewind is zo kalmerend en rustgevend. We zouden snel moeten gaan zwemmen.

Scott: Mee eens. Het water voelt heerlijk aan!

Sky: Wacht ... zie je dat?

Scott: Zie ik wat?

Sky: Er drijft daar iets dat schittert in het water. Het lijkt op ... een fles.

Scott: Zou het niet grappig zijn als er een berichtje in die fles zou zitten?

Sky: Ja, dat zou zeker grappig zijn!

Scott: Hier is de fles. Er zit een kurk op.

Sky: En kijk! Ik denk dat er iets opgerolds in zit. Het lijkt op papier.

Scott: Één momentje. Aha! Hebbes.

Sky: Wat staat erop?

Scott: Ik weet het niet ... het is moeilijk te zien, omdat het handschrift heel oud lijkt. Maar van wat ik ervan kan maken, ik denk dat erop staat ...

Sky: ... Nou?

Scott: Niks. Er staat niks.

Sky: Kom op! Wat staat er? Ik ben zo benieuwd!

Scott: Er staat, "Ren voor je leven ..."

Sky: Haha. Heel grappig. Wat staat er echt op?

Scott: Bekijk het zelf eens.

Sky: Dat... dat staat er echt. Wat een dom bericht.

Scott: Ja, nogal.

Sky: Hé, ik zie een schip in de verte. Ik had niet verwacht dat hier schepen in de buurt zouden zijn.

Scott: Heb jij de verrekijker meegenomen?

Sky: Ja, die heb ik hier.

Scott: Bedankt. Ik zie ... een zwarte vlag met een witte doodskop en twee botten in de vorm van een "X". En het schip komt deze kant op.

Sky: Ik denk dat het piraten zijn!

Scott: We moeten hier wegwezen. Rennen!

MESSAGE IN A BOTTLE

Scott: I really love this beach. It's always empty and the water is so clear.

Sky: It's like our own little slice of heaven.

Scott: The sand is so soft! It feels like powder.

Sky: White sand beaches are so nice.

Scott: Don't you love this place?

Sky: I really do. The ocean breeze is so calming and relaxing. We should go for a swim soon.

Scott: I agree. The water feels great!

Sky: Wait... do you see that?

Scott: See what?

Sky: There's something shiny floating in the water. It looks like... a bottle.

Scott: Wouldn't it be funny if there was a message in that bottle?

Sky: Yeah, that'd be funny!

Scott: Here's the bottle. It has a cork.

Sky: And look! I think there's something rolled up inside. Looks like paper.

Scott: Give me a second. Aha! Got it.

Sky: What does it say?

Scott: I don't know... it's hard to make out because the writing looks really old. From what I can tell, I think it says...

Sky: ...Well?

Scott: Nothing. It's nothing.

Sky: Come on! What does it say? I'm so curious!

Scott: It says, "Run for your lives..."

Sky: Ha ha. Very funny. What does it actually say?

Scott: See for yourself.

Sky: It... really does say that. What a silly message.

Scott: Yeah, I guess.

Sky: Hey, I see a ship in the distance. I didn't think there would be any ships nearby.

Scott: Did you bring the binoculars?

Sky: Yeah, here they are.

Scott: Thanks. I see… a black flag with a white skull and two bones in an "X" shape. And the ship is coming this way.

Sky: I think those are pirates!

Scott: We have to get out of here. Run!

74

HOE KOM IK DAAR?

\-

HOW DO I GET THERE? (B1)

Jeffrey: Ik heb zo'n zin om jouw nieuwe huis te zien!

Sarina: Ja, ik ook!

Jeffrey: Ik kan niet geloven dat ik je nog niet in jouw nieuwe huis ben komen opzoeken sinds je verhuisd bent.

Sarina: Dat geeft niet! Je bent zo druk geweest.

Jeffrey: Ja, dat ben ik inderdaad. Ik ben blij dat het werk een beetje minder is geworden. Ik heb geen sociaal leven gehad de afgelopen, zeg, drie maanden!

Sarina: Tja, je bent net een bedrijf gestart. Het is begrijpelijk dat de dingen dan wat abnormaal zijn.

Jeffrey: Ik wist dat het een gekkenhuis zou worden, maar het was zelfs nog erger dan ik me had voorgesteld! Maar ik hou ervan om voor mezelf te werken. Het levert stress op, maar per slot van rekening is dat al het werk helemaal waard.

Sarina: Dat is mooi om te horen.

Jeffrey: Nou, kan ik gewoon de Maps app op mijn telefoon gebruiken om bij je huis te komen?

Sarina: Nou, ik kan je beter een routebeschrijving geven. Sommige mensen zijn op weg hierheen de weg kwijtgeraakt.

Jeffrey: Oké, oké. Dus hoe kom ik er?

Sarina: Neem 94 East naar Spring Street. Ga daarna rechtsaf nadat je van de snelweg afkomt. Direct nadat je rechts afslaat, sla je opnieuw rechtsaf. Het is een klein straatje en veel mensen missen die.

Jeffrey: Dus, na de afslag van de snelweg rechts. Daarna direct nog een keer rechts een klein straatje in.

Sarina: Ja. En dan ongeveer twee blokken rechtdoor en daarna linksaf de Oak Tree Lane op. Daar rij je de heuvel op. Bovenaan de heuvel sla je rechtsaf. Ons huis is het witte met de palmboom ervoor.

Jeffrey: Oké, ik heb het. Bedankt! Ik kom rond half zeven. Ik laat het je weten als ik de weg kwijtraak.

Sarina: Ja, bel me als je meer instructies nodig hebt! Helemaal goed, tot straks!

Jeffrey: Tot ziens!

HOW DO I GET THERE?

Jeffrey: I'm so excited to see your new place!

Sarina: Yay, me too!

Jeffrey: I can't believe I haven't visited you at your new house since you moved.

Sarina: It's okay! You've been so busy.

Jeffrey: Yeah, I have. I'm glad work has slowed down a bit. I haven't had a social life for, like, three months!

Sarina: Well, you just started a business. It's understandable that things have been so crazy.

Jeffrey: I knew it would be crazy, but it was even worse than I imagined! But I love working for myself. It's stressful but, in the end, all the work is worth it.

Sarina: That's great to hear.

Jeffrey: So, can I just use a maps app on my phone to get to your place?

Sarina: Actually, I'm going to give you directions. Some people have gotten lost on the way here.

Jeffrey: Okay, okay. So how do I get there?

Sarina: Take 94 East to Spring Street. Then turn right after you exit the freeway. Immediately after you turn right, turn right again. It's a small street and many people miss it.

Jeffrey: So, turn right after the freeway. Then make an immediate right again on a small street.

Sarina: Yes. And then go straight for about two blocks, and then turn left on Oak Tree Lane. Go up the hill. Turn right at the top of the hill. Our house is the white one with the palm tree in the front.

Jeffrey: Okay, got it. Thanks! I'll be there around 6:30. I'll let you know if I get lost.

Sarina: Yes, give me a call if you need more directions! All right, see you soon!

Jeffrey: See ya!

75

EEN VLIEGTICKET KOPEN

-

BUYING A PLANE TICKET (B1)

Pam: Zou je met mij op reis willen?

Jim: Natuurlijk! Wat heb je in gedachten?

Pam: Ik heb echt zin in pizza, dus we gaan naar New York!

Jim: Wil je helemaal naar New York om alleen pizza te eten?

Pam: Ja! Bovendien kunnen we mijn neven bezoeken. Ik heb ze al een eeuwigheid niet gezien.

Jim: Oké, doen we. Wanneer gaan we?

Pam: Ik denk dat ik over een paar weken vrije dagen op kan nemen.

Jim: Dat is prima, want het duurt nog ruim een maand voordat school weer begint.

Pam: Zullen we online kijken of we vliegtickets kunnen vinden? Ik denk dat sommige luchtvaartmaatschappijen nu aanbiedingen hebben, dus hopelijk kunnen we een goede deal krijgen.

Jim: Waarschijnlijk zullen we hier 's morgens moeten vertrekken, zodat we daar op tijd zijn voor het avondeten.

Pam: Pizza gelijk nadat we landen? Ik hou nu al van deze reis!

Jim: En ik ook. Heb je al iets gevonden?

Pam: Ja, de goedkoopste prijs voor vliegtickets is nu tweehonderdtachtig euro per persoon voor een retourtje, maar dat is een nachtvlucht.

Jim: En de vluchten in de ochtend?

Pam: Poeh ... zevenhonderd euro.

Jim: Wat?! Dat is belachelijk!

Pam: Echt? Ik koop normaal gesproken geen nachtvluchten, maar het prijsverschil is te groot.

Jim: Mee eens. Laten we de tickets voor de nachtvlucht nemen en een dutje doen zodra we aankomen.

Pam: Oké. Hebben we nog airmiles over?

Jim: Nee, maar we hebben nog wel een hotel credit.

Pam: Joepie! In orde, ik heb de twee tickets gekocht op mijn creditkaart. Kun jij een hotel voor ons boeken?

Jim: Dat heb ik net gedaan. Wij gaan naar New York.

Pam: Pizza, we komen eraan!

BUYING A PLANE TICKET

Pam: Would you like to go on a trip with me?

Jim: Sure! What do you have in mind?

Pam: I really want some pizza, so we're going to New York!

Jim: You want to go all the way to New York just for pizza?

Pam: Yes! Plus, we'll get to visit my cousins. I haven't seen them in ages.

Jim: Okay, let's do it. When are we going?

Pam: I think I will be able to use some vacation time in a few weeks.

Jim: That's good because I don't start school for another month.

Pam: Let's check online for some plane tickets. I think some of the airlines are having a sale right now, so hopefully we can get some great deals.

Jim: We should probably try to leave in the morning so we can get there in time for dinner.

Pam: Pizza as soon as we land? I am loving this journey already!

Jim: Me too. Have you found anything?

Pam: Yeah, the lowest ticket price right now is $280 round trip per person, but it's a red-eye flight.

Jim: What about the morning flights?

Pam: Uh... $700.

Jim: What?! That's ridiculous!

Pam: Right? I normally don't purchase overnight flights, but the price difference is too great.

Jim: I agree. Let's buy the red-eye flight tickets and take a nap as soon as we get there.

Pam: Okay. Do we have any mileage points left?

Jim: No, but we still have hotel credit leftover.

Pam: Yay! All right, I just purchased two tickets with my credit card. Can you book us a hotel?

Jim: Just did. I guess we're going to New York.

Pam: Pizza, here we come!

76

HET HUIS POETSEN

-

CLEANING THE HOUSE (B1)

Tracy: Het is vandaag schoonmaakdag!

Landon: Mijn favoriete dag van de maand!

Tracy: Haha. Welke ruimtes wil jij aanpakken?

Landon: Uhm, ik wil alles wel doen behalve de keuken.

Tracy: Oké, prima. Ik doe de keuken als jij de badkamer doet.

Landon: Oké, dat is prima.

Tracy: En ik zal de slaapkamer doen. Wil jij de woonkamer doen?

Landon: Uiteraard. En de garage?

Tracy: Tjonge. Zullen we die bewaren voor de volgende keer. Dat kost op zich al een hele dag werk.

Landon: Da's waar. Staan de schoonmaakmiddelen onder de gootsteen?

Tracy: Ja, en er zijn extra papieren handdoekjes in de bijkeuken als je die nodig hebt.

Landon: Mooi. Ik ga wat schoonmaakmuziek opzetten!

Tracy: Haha. Wat voor een muziek is dat?

Landon: Vandaag is het rock uit de jaren tachtig. Ik haat schoonmaken, dus moet ik gemotiveerd blijven!

Tracy: Doe wat je nodig hebt!

Landon: *(De badkamer poetsend)* Schat, waarom heb je zoveel shampoos nodig?

Tracy: Ik heb toch niet zoveel schampoos ...

Landon: Je hebt hier vier verschillende soorten.

Tracy: Tja, ik hou ervan verschillende te proberen om te zien welke ik het fijnst vind.

Landon: Het is maar shampoo!

Tracy: Mijn haar is belangrijk, ja! Waarom heb jij hetzelfde paar sneakers in drie verschillende kleuren?

Landon: Ik hou van sneakers!

Tracy: Hé, zullen we deze theedoek weg gooien? Die is nogal verscheurd.

Landon: Ja, die kunnen we waarschijnlijk wel wegdoen.

Tracy: Prima, ik ben klaar met de keuken. Tijd om aan de slaapkamer te beginnen!

Landon: Oké!

CLEANING THE HOUSE

Tracy: It's cleaning day!

Landon: My favorite day of the month!

Tracy: Ha ha. Which rooms do you want to tackle?

Landon: Umm, I'll do anything except the kitchen.

Tracy: Okay, fine. I'll do the kitchen if you do the bathroom.

Landon: That works.

Tracy: And I'll do the bedroom. Do you want to do the living room?

Landon: Sure. What about the garage?

Tracy: Ugh. Let's just save that for next time. That'll take a whole day by itself.

Landon: True. Are all the cleaning products under the sink?

Tracy: Yeah and there are extra paper towels in the pantry if you need them.

Landon: Cool. I'm going to put on some cleaning music!

Tracy: Ha ha. What kind of music is that?

Landon: Today it's 80s rock. I hate cleaning, so I need to stay motivated!

Tracy: Whatever works for you!

Landon: *(cleaning the bathroom)* Honey, why do you need so many shampoos?

Tracy: I don't have that many shampoos...

Landon: You have four different kinds here.

Tracy: Well, I like to try different types and see which one I like best.

Landon: It's just shampoo!

Tracy: My hair is important! Why do you have the same pair of sneakers in three different colors?

Landon: I like sneakers!

Tracy: Hey, should we throw out this kitchen towel? It's pretty torn up.

Landon: Yeah, we can probably get rid of it.

Tracy: All right, I'm done with the kitchen. Time to move on to the bedroom!

Landon: Okay!

77

HOND OF KAT?

-

DOG OR CAT? (B1)

Marley: Steve! Wil je komen spelen? Ik verveel me zo!

Steve: Nee, Marley. Ik heb daar vandaag geen tijd voor.

Marley: Kom op. Zullen we een spelletje doen? Dat wordt leuk!

Steve: Nee.

Marley: Maar ik heb lasagna meegebracht!

Steve: … vooruit. Geef de lasagna maar hier.

Marley: Je mag net zoveel lasagna als je wil, nadat we een spelletje gedaan hebben!

Steve: Vooruit, wat voor een spelletje?

Marley: Wat is beter: hond of kat?

Steve: Hoe werkt dat spelletje?

Marley: Ik geef redenen waarom honden beter zijn en jij geeft redenen waarom katten beter zijn.

Steve: En dan?

Marley: De winnaar is diegene die met de beste redenen geeft.

Steve: Wie bepaalt er dan wie er wint?

Marley: Dat doen we samen!

Steve: Dit slaat nergens op, maar de lasagna ziet er echt goed uit.

Marley: Het is de beste lasagna die je ooit zult eten!

Steve: Oké, prima. Ik speel je domme spelletje.

Marley: Geweldig! Ik ga eerst.

Steve: Toe maar.

Marley: Oké, dus honden zijn geweldig omdat ze lief, loyaal, speels, super leuk, grappig, knullig, pluizig, snel, slim, heel, heel leuk, heel, heel speels zijn en omdat ze kunnen apporteren, snel kunnen rennen en hard kunnen blaffen! O en ze hebben het beste reukvermogen!

Steve: Sommige daarvan waren dubbel.

Marley: Nee, super leuk is anders dan heel, heel leuk. Nu is het jouw beurt!

Steve: Nee.

Marley: Wat?

Steve: Dit is het niet waard.

Marley: O, kom op!

Steve: Tot ziens, Marley.

DOG OR CAT?

Marley: Steve! Do you want to play? I'm so bored right now!

Steve: No, Marley. I don't have time for this today.

Marley: Come on, let's play a game! It'll be fun!

Steve: No.

Marley: But I've brought lasagna!

Steve: ...fine. Hand over the lasagna.

Marley: You can have all the lasagna you want after we play a game!

Steve: All right, what's the game?

Marley: Which is better: dog or cat?

Steve: How do we play this game?

Marley: I'll list reasons why dogs are better and you have to list reasons why cats are better.

Steve: And then?

Marley: And then the winner is whoever comes up with better reasons.

Steve: Who decides on the winner?

Marley: We both do!

Steve: This doesn't make sense, but that lasagna looks really good.

Marley: It's the best lasagna you will ever have!

Steve: Okay, fine. I'll play your silly game.

Marley: Great! I'll go first.

Steve: Go on.

Marley: Okay, so dogs are great because they are loving, loyal, playful, super fun, funny, silly, fluffy, fast, smart, really, really fun, really, really playful, and they can play fetch, run really fast, and bark really loud! Oh, and they have the best sense of smell!

Steve: Some of those were repeated.

Marley: No, super fun is different from really, really fun. Now it's your turn!

Steve: No.

Marley: What?

Steve: This isn't worth it.

Marley: Oh, come on!

Steve: See you later, Marley.

78

NAAR EEN KOFFIEZAAKJE

-

VISITING A COFFEE SHOP (B1)

Riley: Hoi, welkom! Wat kan ik voor u inschenken?

Nour: Hoi. Mag ik een … hmm … Ik wil koffie maar ik weet vandaag niet goed wat voor een koffie.

Riley: Nou, voelt u wat voor een geperste koffie? Een espresso-drankje zoals een latte of een cappuccino? Of iets anders zoals een *pour over* koffie?

Nour: Wat is een *pour over* koffie? Ik zie dat steeds vaker op menu's van koffiezaakjes en ik weet niet wat het is.

Riley: Een *pour over* koffie is gemaakt met het gerei en de middelen die u hier op de toonbank ziet staan. De barista giet langzaam heet water over de versgemalen koffie en de koffie komt door de trechtervormige houder naar beneden.

Nour: Ah, ik snap het! Bedankt voor die uitleg.

Riley: Graag gedaan. Neem uw tijd en laat me weten wanneer u klaar bent om te bestellen.

Nour: Ik denk dat ik het weet. Mag ik een medium vanille latte?

Riley: Zeker. Welke melk wilt u daarin?

Nour: Amandelmelk, alstublieft.

Riley: Natuurlijk. Wilt u ook iets te eten?

Nour: Uhm, zeker. Ik neem een sinaasappelscone.

Riley: Dat is mijn favoriet.

Nour: Ja? Ze zien er goed uit!

Riley: Zo is het! Oké, dus met een medium vanille latte en een sinaasappelscone is dat zes euro achtenzeventig in totaal.

Nour: Geweldig. Hier heb je mijn kaart.

Riley: Nou, u kunt hem gewoon hier insteken.

Nour: O, ik snap het.

Riley: Oké, helemaal in orde! Fijne dag verder!

Nour: Bedankt. Hetzelfde!

VISITING A COFFEE SHOP

Riley: Hi, welcome! What can I get for you?

Nour: Hi. Can I get a…. hmm… I want coffee but I'm not sure what kind today.

Riley: Well, are you in the mood for drip coffee? An espresso drink like a latte or cappuccino? Or something different like a pour over?

Nour: What's a pour over? I keep seeing that on coffee shop menus and I don't know what it is.

Riley: A pour over coffee is made with the tools and containers you see on the counter here. The barista slowly pours hot water over freshly ground coffee and the coffee comes out in this funnel-shaped container.

Nour: Ah, I see! Thanks for that explanation.

Riley: No problem. Take your time and let me know when you're ready to order.

Nour: I think I'm ready. Can I have a medium vanilla latte?

Riley: Sure. What kind of milk would you like in that?

Nour: Almond milk, please.

Riley: No problem. Would you like anything to eat?

Nour: Umm, sure. I'll have an orange scone.

Riley: Those are my favorite.

Nour: Yeah? It looks good!

Riley: It is! Okay, so with the medium vanilla latte and orange scone your total comes to $6.78.

Nour: Great. Here's my card.

Riley: Actually, you can just insert it here.

Nour: Oh, I see.

Riley: Okay, you're all set! Have a good day!

Nour: Thanks. You too!

79

IK KAN MIJN SLEUTELS NIET VINDEN

-

I CAN'T FIND MY KEYS (B1)

Li Na: Danny, heb jij mijn sleutels gezien?

Danny: Liggen ze niet op de tafel bij de deur?

Li Na: Nee.

Danny: Heb je op het aanrecht gekeken?

Li Na: Ik heb overal gezocht.

Danny: Zelfs in de slaapkamer? En in de badkamer misschien?

Li Na: Ja, ik heb op de slaapkamer en in de badkamer gekeken. Twee keer.

Danny: Op welke plek heb je ze voor het laatst gezien?

Li Na: Ik herinner dat ik ermee het huis in kwam. En dat is de laatste keer dat ik me kan herinneren dat ik ze zag.

Danny: Dit overkomt jou altijd!

Li Na: Ik weet het. Ik moet opgeruimder worden!

Danny: Je zou ze iedere keer op dezelfde plek terug moeten leggen. Op die manier verlies je ze niet.

Li Na: Ja, je hebt gelijk. Maar nu moet ik ze gewoon vinden.

Danny: Oké, ik zal je helpen zoeken. Ik zoek in de woonkamer en jij kunt nog een keer op de slaapkamer en in de badkamer kijken. Denk je dat je ze in de auto zou kunnen hebben laten liggen?

Li Na: Nee, omdat ik mijn auto op slot moest doen en toen het huis binnen moest komen.

Danny: Goed punt.

Li Na: Ze liggen niet op het bed. Ze liggen niet onder het bed. Ze liggen niet op de grond. Ze liggen niet op het plankje in de badkamer of in een van de badkamerlaatjes.

Danny: Heb je je tas al gecontroleerd?

Li Na: Natuurlijk heb ik dat gedaan!

Danny: Misschien kun je dat nog een keer, voor het geval.

Li Na: ...

Danny: Wat?

Li Na: Ik heb ze gevonden.

Danny: Waar?

Li Na: In mijn tas.

Danny: Tjonge jonge ...

I CAN'T FIND MY KEYS

Li Na: Danny, have you seen my keys?

Danny: They're not on the table by the door?

Li Na: No.

Danny: Have you checked the kitchen counter?

Li Na: I've looked everywhere.

Danny: Even the bedroom? What about the bathroom?

Li Na: Yes, I've looked in the bedroom and the bathroom. Twice.

Danny: Where was the last place you saw them?

Li Na: I remember walking in the house with them. And that's the last time I remember seeing them.

Danny: This always happens to you!

Li Na: I know. I need to get more organized!

Danny: You should put them back in the same place every time. That way you won't lose them.

Li Na: Yeah, you're right. But right now I just need to find them.

Danny: Okay, I'll help you search for them. I'll look in the living room, and you can look again in the bedroom and bathroom. Do you think you could have left them in your car?

Li Na: No, because I had to lock my car and then get into the house.

Danny: Good point.

Li Na: They're not on the bed. They're not under the bed. They're not on the ground. They're not on the bathroom counter or in the bathroom drawers.

Danny: Did you check your purse?

Li Na: Of course I did!

Danny: Maybe check again, just in case.

Li Na: .....

Danny: What?

Li Na: I found them.

Danny: Where?

Li Na: In my purse.

Danny: Oh my gosh...

80

HET REGENT!

-

IT'S RAINING! (B1)

Akira: Ik denk dat het vandaag gaat regenen.

Yasir: Echt? In het weerbericht zeiden ze dat het zonnig zou worden.

Akira: Het weerbericht dat ik zag stelde dat er 30 procent kans op regen was.

Yasir: Weet je het zeker? Keek je naar de juiste stad?

Akira: Uh, ik denk het wel! Ik keek gewoon naar de weerapp op mijn telefoon.

Yasir: Dat is vreemd.

Akira: Neem voor het geval toch maar je paraplu mee.

Yasir: Nou nee.

Akira: Prima! Maar zeg niet dat ik je niet gewaarschuwd heb!

Yasir: Haha. Oké!

(Acht uur later ...)

Akira: Hoe was het op het werk?

Yasir: Het ging goed, maar het was druk. Ik ga nu even hardlopen.

Akira: Dan mag je wel opschieten! De wolken zien er dreigend uit.

Yasir: Het gaat niet regenen, Akira!

Akira: Hmm, we zullen zien.

(Yasir komt twintig minuten later terug.)

Akira: Oh jeetje, je bent doorweekt!

Yasir: Het begon te regenen terwijl ik aan het hardlopen was!

Akira: Ik zei toch dat het ging regenen!

Yasir: Poeh, nou, je had gelijk. Ik had naar je moeten luisteren.

Akira: Zie je? Ik heb altijd gelijk.

Yasir: Niet altijd, maar ... wel vaak.

Akira: Haha, bedankt! Trek nu maar snel droge kleren aan!

IT'S RAINING!

Akira: I think it's going to rain today.

Yasir: Really? The weather forecast said it would be sunny.

Akira: The forecast I saw said there was a 30 percent chance of rain.

Yasir: Are you sure? Were you looking at the right city?

Akira: Uh, I think so! I was just looking at the weather app on my phone.

Yasir: That's weird.

Akira: You should take an umbrella just in case.

Yasir: Nah.

Akira: All right! Don't say I didn't warn you!

Yasir: Ha ha. Okay!

(Eight hours later...)

Akira: How was work?

Yasir: It was good but busy. I'm going to go for a run now.

Akira: You should hurry! The clouds look ominous.

Yasir: It's not going to rain, Akira!

Akira: Hmm, we'll see.

(Yasir returns twenty minutes later.)

Akira: Oh my gosh, you're soaked!

Yasir: It started raining while I was running!

Akira: I told you it was going to rain!

Yasir: Ugh, fine, you were right. I should have listened to you.

Akira: See? I'm always right.

Yasir: Not always, but... a lot of the time.

Akira: Ha ha, thanks! Now go get into some dry clothes!

81

HET SPIJT ME

-

I'M SORRY (B1)

Matt: Ik wil mijn excuses aanbieden aan Dana. Ik was onbeleefd tegen haar en ik voel me er erg schuldig over.

Beth: Dat lijkt me een goed idee.

Matt: Hoe zal ik mijn excuses aanbieden?

Beth: Je zou haar op kunnen bellen om te vragen of je af kunt spreken. Zeg tegen haar dat je wil praten over wat er gebeurd is en dat je je excuses wil aanbieden.

Matt: Oké, ik heb haar net gebeld. We hebben afgesproken elkaar volgende week te zien.

Beth: Dat is mooi. Ik ben blij dat ze ermee instemde je te zien.

Matt: Ik ook. Maar wat zal ik zeggen als ik haar zie?

Beth: Vertel haar dat het je spijt en waarom het je spijt. En zorg ervoor dat zij ook vertelt hoe zij zich voelt.

Matt: Ja. Ik haat het als ik iets zeg waar ik later spijt van heb. Soms zou ik willen dat ik mijn mond dicht kon houden.

Beth: Iedereen doet dingen waar hij of zij spijt van krijgt. Het beste is dat jij je realiseert dat wat je zei verkeerd was en dat je er sorry voor wil zeggen. Dat doet niet iedereen.

Matt: Blijkbaar. Dana en ik zijn al zoveel jaar vrienden. Ik herinner me nog dat ik haar voor het eerst ontmoette. We volgden allebei een les over dinosaurussen op de hogeschool.

Beth: Dinosaurussen?!

Matt: Ja, dat was leuk! Op een dag zaten we naast elkaar in de les en begonnen we gewoon te praten. En voor ik het wist brachten we bijna iedere dag tijd met elkaar door!

Beth: Ahh, dat is leuk. Ik weet zeker dat ze je zal vergeven. Ik zou me niet te veel zorgen maken.

Matt: Ik hoop dat je gelijk hebt. Haar vriendschap is nogal belangrijk voor me.

Beth: Ik denk dat ze dat begrijpt. Succes volgende week! Laat me weten hoe het gegaan is.

Matt: Doe ik.

I'M SORRY

Matt: I want to apologize to Dana. I was rude to her and I feel bad about it.

Beth: I think that's a good idea.

Matt: How should I apologize?

Beth: You should call her and ask her to meet you. Tell her you want to talk about what happened and apologize.

Matt: Okay, I just called her. We're going to meet next week.

Beth: That's good. I'm happy she agreed to meet with you.

Matt: Me too. So, what do I say when I see her?

Beth: You should tell her you're sorry and why you're sorry. And make sure she tells you how she feels too.

Matt: Yeah. I hate it when I say something that I regret. I wish I could just keep my mouth shut sometimes.

Beth: Everyone does things they regret. The good thing is that you realized what you said was wrong and you want to apologize for it. Not everyone would do that.

Matt: I guess. Dana and I have been friends for so many years. I remember when I first met her. We were both taking a class on dinosaurs in college.

Beth: Dinosaurs?!

Matt: Yeah, it was cool! We sat next to each other in class one day and we just started talking. And then before I knew it, we were hanging out almost every day!

Beth: Aww, that's so nice. I'm sure she'll forgive you. I wouldn't worry too much.

Matt: I hope you're right. Her friendship is really important to me.

Beth: I think she understands that. Good luck next week! Let me know how it goes.

Matt: Will do.

82

EEN KRAAMFEEST

-

A BABY SHOWER (B1)

Kyle: Wat ben je aan het doen?

Jenna: Ik maak bedankjes voor Annie's kraamfeest!

Kyle: Wat voor soort bedankjes?

Jenna: Dit zijn strandtasjes gevuld met dingen zoals zonnebrandcrème, zonnebrillen, slippers en andere grappige dingen voor op het strand. Iedere gast krijgt een tasje met zijn naam erop.

Kyle: Dat is een leuk idee! En ze zien er goed uit.

Jenna: Bedankt. Het is een hoop werk!

Kyle: Ja, maar Annie zal er super blij mee zijn.

Jenna: Dat hoop ik!

Kyle: Dus, wat gebeurt er op het kraamfeest? Ik ben nog nooit op zo'n feest geweest.

Jenna: Ik denk dat dat afhangt van het kraamfeest, maar normaal gesproken organiseert iemand die close is met de aankomende moeder het feestje, zoals haar zus of beste vriendin. Er is lekker eten en spelletjes en soms mag de aanstaande moeder cadeaus openmaken.

Kyle: Wat voor soort spelletjes spelen jullie?

Jenna: We hebben veel verschillende spelletjes. Bij een bepaald spelletje mag je het woord "baby" niet zeggen tijdens het feest. Als de gasten aankomen krijgt iedereen een veiligheidsspeld en die dragen ze op hun shirt. Als een van de gasten een andere gast "baby" hoort zeggen, mag hij de speld van diegene die de regel overtrad afpakken. De persoon met de meeste spelden wint het spel.

Kyle: Dat klinkt wel grappig.

Jenna: Ja. Er zijn ook andere spelletjes zoals vieze luiers.

Kyle: Uh, wat?

Jenna: Haha. De luiers zijn niet *echt* "vies". Je stop gesmolten chocoladerepen in luiers en iedereen geeft ze door en raad wat voor een soort chocoladereep het is.

Kyle: Wauw. Dat is … interessant.

Jenna: Dat is het. Maar het is grappig!

Kyle: Nou, ik hoop dat je plezier hebt op het feestje! En ik weet zeker dat iedereen die strandtasjes geweldig vindt.

Jenna: Dankjewel!

A BABY SHOWER

Kyle: What are you doing?

Jenna: I'm making party favors for Annie's baby shower!

Kyle: What kind of party favors?

Jenna: These are beach bags filled with things like sunscreen, sunglasses, flip-flops, and other fun things for the beach. Each guest gets a bag with their name on it.

Kyle: That's a good idea! And they look great.

Jenna: Thanks. It's a lot of work!

Kyle: Yeah, but Annie will be really happy.

Jenna: I hope so!

Kyle: So, what happens at a baby shower? I've never been to one.

Jenna: I think it depends on the shower, but usually someone close to the mother-to-be, like her sister or best friend, plans a party. There's food and games and sometimes the mom-to-be opens gifts.

Kyle: What kind of games do you play?

Jenna: There are a lot of different games. In one popular game you can't say the word "baby" at the party. When guests arrive, everyone is given a diaper pin and they wear it on their shirt. If one guest hears another guest say "baby," he or she can take the rule breaker's pin. The person with the most pins wins the game.

Kyle: That's kind of funny.

Jenna: Yeah. There are other games too like dirty diapers.

Kyle: Umm, what?

Jenna: Ha ha. The diapers aren't *actually* "dirty." You put melted chocolate bars inside diapers and everyone passes the diapers around and guesses what kind of candy bar it is?

Kyle: Wow. That's... interesting.

Jenna: It is. But it's fun!

Kyle: Well, I hope you have fun at the party! And I'm sure everyone will love the beach bags.

Jenna: Thanks!

83

BIJ DE KLEERMAKER

-

AT THE TAILOR (B1)

Justin: Hoi. Ik zou bij deze broek de zoom willen laten innemen. De pijpen zijn wat lang. En ik wil dit overhemd een beetje strakker hebben aan de zijkanten.

Kleermaker: Geweldig. Zou je de broek en het overhemd willen passen?

Justin: Ja, graag.

Kleermaker: Helemaal goed, de paskamer is daar.

Justin: Dankuwel.

(Drie minuten later ...)

Kleermaker: Oké, komt u maar even voor de spiegel staan. Dus als ik ze ongeveer een centimeter korter maak, dan worden ze zó lang. Hoe ziet dat eruit?

Justin: Ja, dat ziet er goed uit.

Kleermaker: Goed. Laten we dan naar het overhemd kijken.

Justin: Ik heb het gevoel dat deze ietwat breed is aan de zijkanten. Kunnen we die innemen?

Kleermaker: Natuurlijk. Hoe ziet dit er uit?

Justin: Hmm ... Dat is eigenlijk iets te strak denk ik. Mag het ietsje losser?

Kleermaker: Ja. Hoe is dit?

Justin: Dit is perfect.

Kleermaker: Geweldig! U kunt zich weer omkleden. Wees voorzichtig bij het uittrekken van uw broek en het overhemd omdat er spelden in zitten!

Justin: O ja, bedankt voor de waarschuwing! Ik wil niet geprikt worden!

Kleermaker: Nee, dat is niet de bedoeling!

(Vier minuten later ...)

Justin: Moet ik nu betalen of later?

Kleermaker: Zoals u wilt!

Justin: Oké, dan betaal ik als ik ze op kom halen.

Kleermaker: In orde.

Justin: Wanneer verwacht u ze klaar te hebben?

Kleermaker: Ik denk dat het tussen de zeven en tien dagen zal duren. Ik zal u een belletje geven als ze klaar zijn.

Justin: Geweldig, bedankt.

Kleermaker: Graag gedaan. Fijne dag!

Justin: Insgelijks.

AT THE TAILOR

Justin: Hi. I'd like to get these pants hemmed. They're a little long. And I also want to make this shirt a little narrower on the sides.

Tailor: Great. Would you like to try on the pants and shirt?

Justin: Yes, please.

Tailor: All right, the fitting room is right there.

Justin: Thanks.

(Three minutes later...)

Tailor: Okay, come stand in front of the mirror. So, if I shorten them about an inch, they will be this long. How does that look?

Justin: Yeah, that looks good.

Tailor: Good. Let's take a look at the shirt.

Justin: I feel like it's a little wide on the sides. Can we take it in?

Tailor: Sure. How does this look?

Justin: Hmm... I actually think that's a little too tight. Can we make it a little looser?

Tailor: Yep. How's that?

Justin: That's perfect.

Tailor: Great! Go ahead and get changed. Be careful taking off your pants and shirt because there are pins in there!

Justin: Oh, thanks for the warning! I don't want to get jabbed!

Tailor: No, that wouldn't be good!

(Four minutes later...)

Justin: Do I pay now or later?

Tailor: It's up to you!

Justin: Okay, I'll pay when I pick them up.

Tailor: Sounds good.

Justin: When will they be ready?

Tailor: I think these will take between seven and ten days. I will give you a call when they're finished.

Justin: Great, thanks.

Tailor: No problem. Have a good day!

Justin: Same to you.

84

OP ZOEK NAAR EEN PARKEERPLEK

-

LOOKING FOR A PARKING SPOT (B1)

Dany: Deze groothandel is altijd zo druk op deze tijd van de dag. Waarom zijn we ook alweer hier?

Jon: Nou, we hebben dat grote feest waar al onze vrienden en familie uit het noorden voor komen. Met zoveel mensen, zullen we dingen groot moeten inkopen zodat we geld kunnen besparen. Bovendien heb ik geen tijd op andere dagen.

Dany: Kunnen we op z'n minst stoppen voor hotdogs en pizza? Hun pizza's zijn fantastisch.

Jon: Natuurlijk! Misschien kan ik je afzetten, zodat jij kunt bestellen terwijl ik een parkeerplek zoek?

Dany: Doe niet zo dom. Laten we gewoon samen naar een parkeerplek zoeken. Ik heb het gevoel dat het sowieso al veel te lang gaat duren.

Jon: Oké. Ik denk dat er een plekje vrij is in de achterste hoek!

Dany: Hier inrijden! Er staan normaal minder auto's in dit deel van de parkeerplaats.

Jon: Goed idee! O, hier is een plekje — HÉÉ!

Dany: Pikte hij nu net onze parkeerplek in?! Die was duidelijk van ons!

Jon: Dat was niet zo netjes.

Dany: Pff, laten we verder kijken. O, ik denk dat ik er eentje zie! O, wacht … deze persoon heeft gewoon zijn lichten aan laten staan, maar er zit niemand in.

Jon: We rijden nu al vijftien minuten rond over dit parkeerterrein. Ik heb het gevoel dat we een grote fout gemaakt hebben.

Dany: Je geeft het te snel op … Kijk daar eens! Die persoon vertrekt!

Jon: Yes! Dat is onze parkeerplek!

Dany: Hoera! Tijd voor pizza!

LOOKING FOR A PARKING SPOT

Dany: This warehouse club is always so busy at this time of day. Why are we here again?

Jon: Well, we have that giant party where all our friends and family from up north are coming down. With that many people, we need to purchase things in bulk quantities so we can save money. Plus, I don't have time any other day.

Dany: Can we at least stop for hot dogs and some pizza? Their pizza is awesome.

Jon: Sure! Maybe I should drop you off so you can order while I go find parking?

Dany: Don't be silly. Let's just look for a spot together. I feel like this is going to take much too long anyway.

Jon: Okay. I think I see a space in the far corner!

Dany: Turn in here! There are usually fewer cars in this section of the parking lot.

Jon: Good idea! Oh, here's a spot—HEY!

Dany: Did he just steal our parking space?! It was clearly ours!

Jon: That wasn't very nice.

Dany: Ugh, let's just keep looking. Oh! I think I see one! Oh wait... this person just left the car's lights on. There's no one in it.

Jon: We've been circling this parking lot for fifteen minutes now. I feel like I've made a huge mistake.

Dany: You give up too easily... look over there! That person is leaving!

Jon: Yes! This parking space is ours!

Dany: Hooray! Time for pizza!

85

WAT ZULLEN WE KIJKEN?

-

WHAT SHOULD WE WATCH? (B1)

Will: Heb je zin om vanavond uit te gaan?

Kala: Ik dacht eigenlijk dat we thuis zouden blijven. Dat we iets op een van onze streaming-diensten zouden kijken en eten laten bezorgen.

Will: Dat klinkt goed. Ik heb ook niet echt zin om uit te gaan. Wat denk je van Thais eten?

Kala: Dat klinkt heerlijk! Maar nog belangrijker, wat zullen we kijken?

Will: Goede vraag. Wil je die serie afkijken waar de gast achtervolgd wordt door een geheime overheidsinstantie?

Kala: Nou nee, ik voel er meer voor om iets spannends te kijken.

Will: Oké, en wat denk je van die kookshow uit Engeland?

Kala: Ik vind dat een geweldig programma, maar heb vanavond niet zo'n zin om dat te kijken.

Will: Prima ... wat denk je dan van dat programma waar de detectives oude misdaden proberen op te lossen?

Kala: Hmm, oké! Dat klinkt wel goed.

Will: Wat was de laatste aflevering die we gekeken hebben?

Kala: Ik kan het me niet herinneren.

Will: Ik geloof dat ze in een bos in North Carolina waren.

Kala: Ja! Je hebt gelijk! Dat was aflevering vier, geloof ik.

Will: Wauw, goed geheugen. Zullen we dan aflevering vijf kijken?

WHAT SHOULD WE WATCH?

Will: Do you want to go out tonight?

Kala: Actually, I was thinking we could stay at home, watch something on one of our streaming services, and get food delivered.

Will: That sounds great. I don't really feel like going out anyway. How does Thai food sound?

Kala: That sounds delicious! But more importantly, what should we watch?

Will: Good question. Do you want to finish watching that series where that guy is being chased by some secret government agency?

Kala: Nah, I don't feel like watching something suspenseful.

Will: Okay, how about that baking show from England?

Kala: I love that show but I don't feel like watching it tonight.

Will: All right... how about that show where the detectives are trying to solve old crimes?

Kala: Hmm, okay! That sounds good.

Will: What was the last episode we watched?

Kala: I can't remember.

Will: I think they were in a forest in North Carolina?

Kala: Yes! You're right! That was episode four, I think?

Will: Wow, good memory. Let's watch episode five!

86

INCHECKEN BIJ HET HOTEL

-

CHECKING IN AT THE HOTEL (B1)

Receptionist: Hallo. Welkom in Hotel aan Zee. Waarmee kan ik u helpen?

Freddy: Hoi, we hebben een reservering met achternaam Jones.

Receptionist: Juist, laat me dat even opzoeken. Oké ... u heeft een grote kamer met een kingsize bed voor drie nachten.

Freddy: Ja.

Receptionist: Mag ik uw identiteitsbewijs en de creditkaart waarmee u de boeking heeft gedaan?

Freddy: Ja, alstublieft.

Receptionist: Dankuwel. Waar vandaan reist u?

Freddy: We komen uit de Bay Area.

Receptionist: O, mooi! Ik hou van de Bay Area.

Freddy: Wij ook! Maar we houden ook van San Diego. We proberen hier tenminste één keer per jaar te komen.

Receptionist: Ik hou ook van San Diego! Daarom woon ik hier. Nou, welkom terug!

Freddy: Dankuwel! Zijn er eigenlijk ook kamers met uitzicht beschikbaar?

Receptionist: Dat zal ik even controleren. O, het lijkt erop dat u geluk heeft! We hebben vijf minuten geleden een annulering ontvangen!

Freddy: Wauw! Goed dat ik het gevraagd heb.

Receptionist: Zeker! Laat me de gegevens in de computer aanpassen.

Freddy: In orde, ik kan wel even wachten.

Receptionist: Geregeld ... alles is klaar voor u. Hier zijn uw sleutels en dit zijn de Wi-Fi gegevens. De liften zijn daar om de hoek.

Freddy: Geweldig, dankuwel!

Receptionist: Tot u dienst. Geniet van uw verblijf en laat het ons weten als u vragen heeft.

Freddy: Dankuwel!

CHECKING IN AT THE HOTEL

Receptionist: Hello. Welcome to Hotel by the Sea. How can I help you?

Freddy: Hi, we have a reservation under the last name Jones.

Receptionist: Great, let me look that up. Okay... you have a large room with a king bed for three nights.

Freddy: Yes.

Receptionist: Can I see your ID and the credit card you used to make the booking?

Freddy: Yes, here they are.

Receptionist: Thank you. So where are you traveling from?

Freddy: We're from the Bay Area.

Receptionist: Oh, nice! I love the Bay Area.

Freddy: We do too! But we also love San Diego. We try to come here once a year.

Receptionist: I love San Diego too! That's why I live here. Well, welcome back!

Freddy: Thanks! Actually, are there any rooms with views available?

Receptionist: Let me check. Oh, it looks like you're in luck! We had a cancellation about five minutes ago!

Freddy: Wow! I'm glad I asked.

Receptionist: I am too! Let me change your information in the computer.

Freddy: That's fine; I can wait.

Receptionist: All right... you're good to go. Here are your keys and this is the Wi-Fi information. The elevators are around the corner there.

Freddy: Great, thank you!

Receptionist: My pleasure. Enjoy your stay and please let us know if you have any questions.

Freddy: Thank you!

87

JE ZOU MET DE LERAAR MOETEN PRATEN

-

YOU SHOULD TALK TO THE PROFESSOR (B1)

Debbie: Ik geloof dat het met mij niet zo goed gaat bij dit vak.

Phil: Echt? Waarom? Is het vak moeilijk?

Debbie: Ja, het is wel een beetje moeilijk, maar ik heb onlangs veel gewerkt en ik heb er niet zoveel voor kunnen studeren als ik zou willen. Ik heb iedere avond maar één uur om mijn huiswerk te maken en voor toetsen te studeren. Ik heb ongeveer drie uur nodig!

Phil: O, ik begrijp het. Dat is echt jammer.

Debbie: Ik moet ook een goed cijfer halen voor dit vak. Dus ik maak me een beetje zorgen.

Phil: Kun je niet wat minder werken?

Debbie: Nu niet. Ik moet mijn familie helpen.

Phil: Ik snap het. Misschien kun je met de leraar praten en kijken of hij je wat meer tijd kan geven om je opdrachten af te ronden?

Debbie: Ik heb er al over gedacht om dat te doen. Maar leraren houden er niet van als leerlingen om uitstel vragen. Als je je inschrijft voor een vak, dan is dat een verplichting die je aangaat en je moet het serieus nemen.

Phil: Ik weet het. Maar je weet nooit. De leraar zou er begrip voor kunnen hebben.

Debbie: Tsja ... ik denk dat ik morgen met hem ga praten tijdens zijn kantoortijd.

Phil: Laat me weten hoe het gegaan is.

Debbie: Doe ik.

(De volgende dag)

Debbie: Nou, ik heb dus met mijn leraar gepraat.

Phil: Ja? Hoe ging het?

Debbie: Hij was heel aardig. Hij geeft me uitstel voor het huiswerk deze week en volgende week. Ik ben zo dankbaar.

Phil: Dat is echt aardig van hem. Zie je? Ik zei toch dat je met hem moest gaan praten!

Debbie: Ik weet het. Ik schaamde me om het te vragen, maar ik ben blij dat ik het gedaan heb.

Phil: Nou, hopelijk is je rooster over een paar weken rustiger en heb je tijd om alles weer te balanceren.

Debbie: Dat hoop ik wel!

YOU SHOULD TALK TO THE PROFESSOR

Debbie: I don't think I'm doing very well in this class.

Phil: Really? Why? Is the class difficult?

Debbie: Yes, it's a little difficult, but I've been working a lot and I haven't been able to study as much as I would like. I only have about one hour a night to do homework and study for tests. I need about three hours!

Phil: Oh, I see. That's too bad.

Debbie: I need to get a good grade in this class, too. So, I'm a little worried.

Phil: Can you work a little less?

Debbie: Not right now. I need to help my family.

Phil: I understand. Maybe you can talk to the professor and see if he can give you a little extra time to finish assignments?

Debbie: I've been thinking about doing that. But professors don't like it when students ask for extensions. When you enroll in a class, that's a commitment you make and you have to take it seriously.

Phil: I know. But you never know. The professor may be understanding.

Debbie: Yeah... I think I'll go talk to him during his office hours tomorrow.

Phil: Let me know how it goes.

Debbie: I will.

(The next day.)

Debbie: So, I talked to the professor.

Phil: Yeah? How did it go?

Debbie: He was really nice. He's giving me an extension on the homework this week and next week. I'm so grateful.

Phil: That's so nice of him. See? I told you to talk to him!

Debbie: I know. I felt so bad for asking, but I'm glad I did.

Phil: Well, hopefully after a couple weeks your schedule will calm down and you'll have time to balance everything.

Debbie: I hope so!

88

PLANNEN OM TE GAAN BACKPACKEN

-

PLANNING A BACKPACKING TRIP (B1)

Janet: We moeten beginnen met het plannen van onze reis!

Carlos: Ja, inderdaad! Heb je er nu tijd voor?

Janet: Ja. Laten we met de laptop en onze reisboekjes ervoor gaan zitten.

Carlos: Oké, ik zet koffie.

Janet: Geweldig. Ik denk dat we moeten beginnen bij het bepalen van een budget.

Carlos: Mee eens.

Janet: Wat denk je van vijfendertighonderd euro?

Carlos: Vijfendertighonderd per persoon of voor ons samen?

Janet: Uh, zeker weten voor ons samen!

Carlos: In orde, goed. Ik maakte me al zorgen!

Janet: Als we naar Barcelona vliegen, dan kost de vlucht ons per persoon rond de duizend euro voor een retourtje.

Carlos: Hmm ... dus dan hebben we nog rond de vijftienhonderd euro over. Hoeveel dagen kun jij vrij nemen van je werk?

Janet: Tien dagen. Jij kunt twee weken vrij nemen, toch?

Carlos: Ja.

Janet: Dus met de weekenden en de vluchten heen en terug kunnen we ongeveer twaalf nachten in Europa doorbrengen.

Carlos: Fantastisch. Dat betekend dat we vijftienhonderd euro voor twaalf nachten hebben. Naar welke landen zou je willen gaan?

Janet: Nou, we vliegen op Barcelona, dus dan kunnen we tijd in Spanje doorbrengen. Naast Spanje, zou ik heel graag naar Italië en Frankrijk willen.

Carlos: Wat denk je van Portugal? Ik zou daar ook graag heen willen en het is dicht bij Spanje.

Janet: Denk je niet dat vier landen in twaalf dagen te veel is?

Carlos: Tja, dan zouden we maar twee of drie nachten in ieder land kunnen zijn.

Janet: Ik denk dat we dan maar drie landen moeten doen. Zo kunnen we iets meer tijd in ieder land doorbrengen.

Carlos: Oké. Wat als we Italië dan voor een andere keer bewaren? Ik zou daar toch echt meer tijd willen besteden.

Janet: Ja, ik zou ook zo graag naar Italië willen, maar ik denk dat dit een goed idee is. Als ik maar rijk was en niet hoefde te werken!

Carlos: Tja, ik weet het! Nou, laten we ons reisschema dan maar gaan maken ...

PLANNING A BACKPACKING TRIP

Janet: We need to start planning our trip!

Carlos: Yes, we do! Do you have time now?

Janet: Yep. Let's sit down with the laptop and our travel books.

Carlos: Okay, I'll make some coffee.

Janet: Great. I think we should start by deciding on a budget.

Carlos: I agree.

Janet: How does $3,500 sound?

Carlos: $3,500 each or for both of us?

Janet: Umm, definitely for both of us!

Carlos: All right, good. I was worried!

Janet: If we fly to Barcelona, the flight will be around $1,000 roundtrip for each ticket.

Carlos: Hmm… so then we will have around $1,500 left. How many days can you take off work?

Janet: Ten days. You can take two weeks off, right?

Carlos: Yeah.

Janet: So, with weekends and the flights there and back we can spend about twelve nights in Europe.

Carlos: Awesome. That means we have $1,500 for twelve nights. What countries do you want to go to?

Janet: Well, we're flying into Barcelona, so we can spend some time in Spain. Aside from Spain, I really want to go to Italy and France.

Carlos: What about Portugal? I really want to go there and it's close to Spain.

Janet: Do you think four countries in twelve nights is too much?

Carlos: Well, we would only be able to spend about two or three nights in each place.

Janet: I think we should just do three countries. Then we could spend a little more time in each country.

Carlos: Okay. What about if we saved Italy for another time? I really want to spend more time there anyway.

Janet: Yeah, I'm dying to go to Italy but I think that's a good idea. If only I were rich and didn't have to work!

Carlos: I know, right? Well, for now let's figure out our itinerary...

89

SOUVENIRS KOPEN

-

BUYING SOUVENIRS (B1)

Daniëlle: Niet vergeten, we moeten nog steeds een paar souvenirs kopen voor onze familie en vrienden.

Kenji: Ja, dat ben ik niet vergeten. Zullen we maar een paar winkeltjes bezoeken? Ik wil niet te lang doen over het winkelen. We hebben nog maar twee dagen over van onze vakantie.

Daniëlle: Ja, zullen we alles binnen twee uur proberen te kopen.

Kenji: Oké! Waar gaan we heen?

Daniëlle: Laten we de centrale markt nemen. Ze hebben etenswaren en lokale producten. En daar kun je afdingen.

Kenji: Doe jij dan het afdingen? Ik ben daar niet goed in!

Daniëlle: Je bent te lief! Je moet forser zijn. En je moet weglopen als ze je niet de prijs geven die je wilt.

Kenji: Ik zal het proberen!

Daniëlle: Wat zullen we voor Sarah kopen?

Kenji: Koffie misschien? Of chocolaatjes. Of allebei.

Daniëlle: Dat is een goed idee. Ze houdt van koffie.

Kenji: En wat voor Akihiro?

Daniëlle: Hmm ... het is zo moeilijk om een cadeautje voor hem te vinden. Hij heeft alles al!

Kenji: Dat is zo. Hij houdt van eten. We zouden voor hem een paar lokale snacks mee kunnen nemen.

Daniëlle: Dat is waar. Oké, het worden snacks.

Kenji: En voor jouw moeder?

Daniëlle: Ik denk dat zij wel een kunststuk zou willen voor in haar huis.

Misschien een tekening of schilderij?

Kenji: Goede optie. Maar wordt dat niet moeilijk mee naar huis nemen?

Daniëlle: Tja. We moeten wel iets vinden dat niet kapot gaat in onze koffers.

Kenji: Precies. Oké, daar gaan we!

BUYING SOUVENIRS

Danielle: Remember, we still need to buy some souvenirs for our friends and family.

Kenji: Yep, I haven't forgotten. Can we go to just one or two stores? I don't want to spend too long shopping. We only have two more days left of our vacation.

Danielle: Yeah, let's try to buy everything in two hours.

Kenji: Okay! Where should we go?

Danielle: Let's go to the central market. They have food and local products. And you can bargain there.

Kenji: Can you do the bargaining, though? I'm not good at it!

Danielle: You're too nice! You have to be firmer. And you have to walk away if they don't give you the price you want.

Kenji: I'll try!

Danielle: What should we get Sarah?

Kenji: Maybe some coffee? Or chocolates. Or both.

Danielle: That's a good idea. She loves coffee.

Kenji: What about Akihiro?

Danielle: Hmm… it's so difficult to get presents for him. He already has everything!

Kenji: I know. He likes food. We could get him some local snacks.

Danielle: True. Okay, snacks it is.

Kenji: And how about your mom?

Danielle: I think she would love some kind of art for her house. Maybe a painting or drawing?

Kenji: Good call. But will it be hard to transport it home?

Danielle: Yeah. We need to find something that won't get ruined in our suitcases.

Kenji: Right. Okay, off we go!

90

CARRIÈRESHIFT

-

CAREER CHANGE (B1)

Zara: Ik denk dat ik mijn baan ga opzeggen.

T.J.: Echt?! Waarom? Ik dacht dat je van je baan hield!

Zara: Ik hield er wel van, maar het is wat saai geworden.

T.J.: Wat bedoel je?

Zara: Ik heb het gevoel dat ik iedere dag hetzelfde doe. Ik wil iets met meer uitdaging.

T.J.: Ik snap het. Dat klinkt logisch. Ga je op zoek naar een baan in dezelfde branche of in een totaal andere branche?

Zara: Ik weet het niet. Ik vind boekhouden wel leuk, maar ik denk er eigenlijk over om aan interieurdesign te beginnen.

T.J.: Serieus?! Wauw, dat zou een grote verandering zijn. Toch denk ik dat je goed zou zijn in interieurdesign.

Zara: Bedankt! Je weet dat ik er altijd al in geïnteresseerd was als hobby. Maar ik heb erover nagedacht er mijn carrière van te maken.

T.J.: Dat is interessant nieuws! Heb je enig idee over wat voor een soort interieurdesign?

Zara: Dat weet ik nog niet zeker. Ik zou wel graag helpen in het ontwerpen van restaurants.

T.J.: O, dat zou leuk zijn. Denk je niet dat je net zo verveeld zou raken met interieurdesign als met boekhouden?

Zara: Dat denk ik niet. Het vraagt om creativiteit en je bent altijd iets anders aan het ontwerpen.

T.J.: Ja, dat klinkt logisch. Nou, succes op deze nieuwe reis!

Zara: Bedankt! Ik hou je op de hoogte.

CAREER CHANGE

Zara: I think I'm going to quit my job.

T.J.: Really?! Why? I thought you loved your job!

Zara: I used to love it, but I've gotten kind of bored.

T.J.: What do you mean?

Zara: I feel like I do the same thing every day. I want something a little more challenging.

T.J.: I see. That makes sense. Are you going to look for a job in the same field or in a totally different field?

Zara: I don't know. I like accounting but I'm actually thinking of getting into interior design.

T.J.: Really?! Wow, that would be a big change. I think you'd be so good at interior design, though.

Zara: Thanks! As you know, I've always been interested in it as a hobby. But I've been thinking about pursuing it as a career.

T.J.: This is such interesting news! Any ideas about what kind of interior design?

Zara: I'm not sure yet. I'd love to help design restaurants though.

T.J.: Oh, that would be fun. Do you think you'd get bored with interior design like you have with accounting?

Zara: I don't think so. It requires creativity, and you're always designing something different.

T.J.: Yeah, that makes sense. Well, good luck on this new journey!

Zara: Thanks! I'll keep you updated.

EEN PENSIOENFEESTJE PLANNEN

-

PLANNING A RETIREMENT PARTY (B1)

Trish: Hé Garrett. We zouden moeten beginnen met het plannen van Bills pensioenfeestje. Zijn laatste dag is vandaag precies over een maand.

Garrett: Ja, laten we het daar eens over hebben! Heb je nu een paar minuutjes?

Trish: Ja. Ik pak er pen en papier bij, zodat ik wat aantekeningen kan maken.

Garrett: Oké.

Trish: Dus, wat denk jij? Zullen we het feestje hier op kantoor houden of ergens anders, bijvoorbeeld een restaurant?

Garrett: Ik denk dat het kantoor te klein is. En hij is hier vijfentwintig jaar geweest. Ik denk dat dat vraagt om een feestelijkheid buiten de deur.

Trish: Mee eens. Ik denk dat dat voor iedereen plezieriger is. En dat Bills familie op die manier ook kan komen als ze zouden willen.

Garrett: Juist.

Trish: Ik heb goede dingen gehoord over dat nieuwe restaurant Hearth. Heb je daarvan gehoord?

Garrett: Ja, dat heb ik zeker! Ik had al het idee om het eens te proberen.

Trish: Ik ook. Zij hebben een ruimte achterin die je kunt reserveren voor evenementen. Laten we online eens kijken hoe duur dat is.

Garrett: Oké.

Trish: O, de prijs is zo gek nog niet. Het kost driehonderd euro voor een drie uur durend evenement.

Garrett: Dat klinkt goed voor zo'n net restaurant.

Trish: Ja. Hmm ... op welke dag zullen we het feestje houden?

Garrett: Wat dacht je van vrijdag 5 augustus?

Trish: Dat lijkt me perfect.

Garrett: Geweldig! Zit het eten daar ook bij inbegrepen?

Trish: Waarschijnlijk drankjes en voorgerechten.

Garrett: In orde, ik schrijf een aantal vragen op om bij het restaurant na te vragen. Wil jij iedereen vragen of ze kunnen die dag?

Trish: Natuurlijk!

PLANNING A RETIREMENT PARTY

Trish: Hey, Garrett. We should start planning Bill's retirement party. His last day is a month from today.

Garrett: Yes, let's talk about it! Do you have a few minutes now?

Trish: Yeah. Let me go get a pen and paper so I can take some notes.

Garrett: Okay.

Trish: So, what do you think? Should we have the party at the office or somewhere else, like a restaurant?

Garrett: I think the office is too small. And he's been here twenty-five years. I feel like that calls for an out-of-the-office celebration.

Trish: I agree. I think that would be more enjoyable for everyone. And that way Bill's family can come if they want.

Garrett: Yep.

Trish: I've heard great things around that new restaurant Hearth. Have you heard of it?

Garrett: Yeah, I have! I've been meaning to try it.

Trish: Me too. They have a room in the back that you can reserve for events. Let's look online and see how much it is.

Garrett: Okay.

Trish: Oh, the price isn't that bad. It's $300 for a three-hour event.

Garrett: That sounds good for such a nice restaurant.

Trish: Yeah. Hmm... what day should we have the party?

Garrett: What about Friday, August 5?

Trish: I think that's perfect.

Garrett: Great! Does the restaurant provide food?

Trish: They probably provide some drinks and appetizers.

Garrett: All right, I'll write down some questions to ask the restaurant. Do you want to ask everyone if they can make it that day?

Trish: Sure!

92

MIJN KOFFER IS NIET AANGEKOMEN

-

MY SUITCASE DIDN'T SHOW UP (B1)

Rina: Hoi. Ik wacht al dertig minuten en mijn koffer is nog steeds niet naar buiten gekomen.

Quentin: Wat was uw vluchtnummer?

Rina: LK145.

Quentin: Oké, laat me dat even opzoeken. Hmm … ja, alle bagage zou op de band moeten liggen. Heeft u de bagage vóór dit kantoor gecontroleerd?

Rina: Ja.

Quentin: Oké, excuses voor het ongemak. Wilt u alstublieft dit formulier voor vermiste bagage invullen. Uw koffer is ofwel op een latere vlucht geplaatst, of is nooit op een vlucht vanaf Denver meegekomen.

Rina: Tjonge jonge. Ik begrijp het. Hoeveel dagen denkt u dat het kan duren voordat het dan hier komt?

Quentin: Het zou al vanavond kunnen zijn, maar het is mogelijk dat het morgen pas aankomt. Ik denk dat het morgen tegen het einde van de dag arriveert.

Rina: Ik heb een aantal belangrijke documenten voor mijn werk in die koffer. Ik ben hier niet zo blij mee.

Quentin: Nogmaals, het spijt me voor het ongemak, mevrouw. We zullen er alles aan doen om uw koffer zo spoedig mogelijk bij u terug te krijgen.

Rina: Bedankt. Moet ik terugkomen naar het vliegveld om hem op te halen?

Quentin: We kunnen het ook op uw adres bezorgen als er iemand thuis is.

Rina: Ik ben vanavond thuis en mijn man zal morgen thuis zijn.

Quentin: Perfect. Als er niemand thuis is, dan brengen we het terug naar de luchthaven en kunt u het hier ophalen. Of we proberen het nogmaals te bezorgen de volgende dag.

Rina: Er zou iemand thuis moeten zijn.

Quentin: Dat klinkt goed. Nogmaals bied ik mijn excuses aan voor de vertraging van uw koffer. Ik wens u een fijne dag toe.

Rina: Bedankt. U ook.

MY SUITCASE DIDN'T SHOW UP

Rina: Hi. I've been waiting for thirty minutes and my suitcase still hasn't come out.

Quentin: What was your flight number?

Rina: LK145.

Quentin: OKAY, let me look that up. Hmm... yes, all of the bags should be out. Have you checked the luggage in front of this office?

Rina: Yes.

Quentin: Okay, I apologize for the inconvenience. Please fill out this missing bag report. Your bag was either put on a later flight, or it never made it on the flight from Denver.

Rina: Ugh. I see. How many days do you think it'll take to get here?

Quentin: It may get here as early as this evening, but it's possible it could get here tomorrow. I think it should arrive by the end of the day tomorrow.

Rina: I have some important documents for work in that bag. I'm not very happy about this.

Quentin: Again, I'm sorry for the inconvenience, ma'am. We'll do everything we can to get your bag back to you as soon as possible.

Rina: Thanks. Do I have to come back to the airport to pick it up?

Quentin: We can deliver it to your address if someone will be home.

Rina: I'll be home tonight and my husband will be home tomorrow.

Quentin: Perfect. If no one is home, we'll bring it back to the airport and you can pick it up here. Or we can try to deliver it again the next day.

Rina: Someone should be home.

Quentin: Sounds good. Again, I apologize that your bag has been delayed. Have a good day.

Rina: Thanks. Same to you.

93

FOOIEN GEVEN

-

TIPPING CUSTOMS (B1)

Jakob: Ik kan nog steeds niet wennen aan het geven van fooi hier. In Denemarken geven we bijna nooit fooi.

Ella: Echt niet?

Jakob: Ja. In Denemarken zijn de kosten voor de bediening gewoon inbegrepen in de rekening. Je kunt wel een fooi geven, maar het hoeft niet.

Ella: O, ik begrijp het. Ik zou wel willen dat de fooi vast op de rekening stond, net als de verkoopbelasting. Ik ben niet zo goed in rekenen en het kost me een eeuwigheid om de fooi te berekenen!

Jakob: Haha, echt? Je kunt ook gewoon de rekenmachine op je telefoon gebruiken.

Ella: Dat weet ik wel. Soms is het makkelijk, maar het wordt moeilijker als je de rekening deelt met drie of vier personen.

Jakob: Dat is waar.

Ella: Is het normaal om in Europa fooi te geven?

Jakob: Dat ligt aan hoe de bediening is. Vaak is het optioneel. Als je niet zeker weet hoeveel fooi je zou moeten geven, dan kun je rond de 10% doen. Maar als de bediening slecht is, dan hoef je geen fooi te geven.

Ella: Dat klinkt een heel stuk makkelijker.

Jakob: Ja, in IJsland en Zwitserland hoef je helemaal geen fooi te geven.

Ella: Dat is goed om te weten.

Jakob: En in Duitsland zul je de ober moeten vertellen hoeveel hij je moet berekenen als je de rekening betaald. Dus als de rekening twintig euro is en je wilt twee euro fooi geven, dan geef je hem bijvoorbeeld vijfentwintig euro en zeg je "tweeëntwintig euro" tegen hem. Dan geeft hij je drie euro terug.

Ella: Ik snap het. Wauw, jij weet wel veel van fooien geven af!

Jakob: Haha. Nou, ik heb nogal veel gereisd.

Ella: Geluksvogel!

TIPPING CUSTOMS

Jakob: I still can't get used to tipping here. We rarely tip in Denmark.

Ella: Really?

Jakob: Yeah. In Denmark service charges are included in the bill. You can tip, but you don't have to.

Ella: Oh, I see. I wish tipping was included in the bill here, like sales tax. I'm not good at math and it takes me forever to calculate the tip!

Jakob: Ha ha, really? You can just use the calculator on your phone.

Ella: I know. Sometimes it's easy, but it's harder when you're splitting the bill with three or four people.

Jakob: True.

Ella: Is tipping common in Europe?

Jakob: It depends on where you are and what kind of service you're getting. It's mostly optional. If you're not sure how much to tip, you should tip around 10 percent. But if the service is bad, you don't have to tip anything.

Ella: That sounds much easier.

Jakob: Yeah, and in Iceland and Switzerland you don't need to tip at all.

Ella: That's good to know.

Jakob: And in Germany you should tell the server how much to charge you when you're paying the bill. So, if your bill is twenty euros and you want to tip two euros, you hand him, say, twenty-five euros, and you tell him "twenty-two euros." Then, he will give you three euros back.

Ella: I see. Wow, you know a lot about tipping!

Jakob: Ha ha. Well, I've kind of traveled a lot.

Ella: Lucky guy!

94

EEN BEZOEK AAN HET KUNSTMUSEUM

-

TRIP TO THE ART MUSEUM (B1)

Lisa: We zijn er! Ik heb zo'n zin om deze tentoonstelling te bekijken. Ik heb achttiende eeuwse Japanse schilderijen altijd al mooi gevonden.

Mark: Hoe heb jij Japanse kunst ontdekt?

Lisa: Ik heb op de hogeschool het vak kunstgeschiedenis gevolgd en sindsdien heeft de Japanse kunst me aangetrokken, vooral die uit de achttiende eeuw. Er is een stijl die Ukiyo-e heet, dat is echt gaaf.

Mark: Interessant. Nou misschien kun je mij er wat over leren!

Lisa: Dat doe ik met plezier!

Mark: Hier is de ingang van de tentoonstelling.

Lisa: Yes!

Mark: O, kijk dat schilderij daar eens. Die kleuren zijn prachtig.

Lisa: Ja, ik hou van de heldere kleuren van de Ukiyo-e schilderijen.

Mark: Waarom lijken alle schilderijen zoveel op elkaar?

Lisa: Dat was de stijl in die tijd.

Mark: En er zijn zoveel schilderijen van geishas.

Lisa: Ja, dat was een populair onderwerp.

Mark: De landschapschilderijen zijn ook echt cool.

Lisa: Ja, hè? Ik hou van de landschappen uit die periode. Nou, van wat voor soort kunst houd jij?

Mark: Uhm, ik weet het niet. Ik heb er nooit echt over nagedacht. Ik hou van fotografie.

Lisa: Echt? Wat voor een soort fotografie?

Mark: Zwart-witfoto's, portretten …

Lisa: Interessant. Hou je van fotograferen?

Mark: Soms! Maar ik ben er niet zo goed in. Ik zou eigenlijk wel een cursus willen volgen en eventueel willen investeren in een goed fototoestel.

Lisa: Dat zou geweldig zijn! Dat zou je moeten doen.

Mark: Ik denk erover na.

Lisa: Zullen we nu de voorstelling op de tweede verdieping gaan bekijken?

Mark: Natuurlijk!

TRIP TO THE ART MUSEUM

Lisa: We're here! I'm excited to see this exhibit. I've always liked eighteenth-century Japanese paintings.

Mark: How did you discover Japanese art?

Lisa: I took an art history class in college and I've been drawn to Japanese art ever since, especially from the eighteenth century. There's a style called Ukiyo-e that's very cool.

Mark: Interesting. Well, maybe you can teach me about it!

Lisa: I'd love to!

Mark: Here is the entrance to the exhibit.

Lisa: Yay!

Mark: Oh, look at this painting here. The colors are awesome.

Lisa: Yeah, I love the bright colors of Ukiyo-e paintings.

Mark: Why do all the paintings look so similar?

Lisa: That was the style back then.

Mark: And there are so many paintings of geishas.

Lisa: Yeah, that was a popular subject.

Mark: The landscape paintings are really cool, too.

Lisa: Aren't they? I love the landscapes from that period. So, what kind of art do you like?

Mark: Umm, I don't know. I've never really thought about it. I like photography.

Lisa: Really? What kind of photography?

Mark: Black and white photos, portraits...

Lisa: Interesting. Do you take pictures?

Mark: Sometimes! I'm not very good. I'd like to take a class, actually, and eventually I want to invest in a nice camera.

Lisa: That would be great! You should.

Mark: I'm thinking about it.

Lisa: Should we go see the exhibit on the second floor now?

Mark: Sure!

95

STROOMUITVAL

-

POWER OUTAGE (B1)

Elizabeth: Ik denk dat de stroom net is uitgevallen.

Jung-woo: Echt? Ik dacht dat jij het licht net uitdeed.

Elizabeth: Nee. Probeer het licht op de badkamer eens aan te doen.

Jung-woo: Die doet het niet.

Elizabeth: En het licht in de slaapkamer?

Jung-woo: Nee. Die doet het ook niet.

Elizabeth: Hmm, oké.

Jung-woo: O, ik krijg net een berichtje van het elektriciteitsbedrijf. Er staat dat de stroom er een uur af zal zijn.

Elizabeth: Ach, vooruit. Dat is niet te erg. Het is tijd om de kaarsen aan te doen!

Jung-woo: Het is maar goed dat we veel kaarsen hebben. Kunnen we romantisch dineren!

Elizabeth: Haha. Ja dat kunnen we doen! O, John stuurde me net een berichtje. Hij zei dat de stroom bij hem thuis ook uit is gevallen.

Jung-woo: O, echt?

Elizabeth: Ja. Dat verbaast me. Hij woont drie kilometer verderop!

Jung-woo: Ik vraag me af wat er is gebeurd.

Elizabeth: Ik weet het niet. Maar het avondeten is klaar! Laten we nog een paar kaarsen op tafel zetten, zodat we kunnen zien wat we eten.

Jung-woo: Goed idee! We hebben niet nog meer verrassingen nodig vanavond.

Elizabeth: O, ik heb nog een berichtje van het elektriciteitsbedrijf. Er staat dat de stroomstoring veroorzaakt werd door ballonnen die de stroomdraden hebben geraakt.

Jung-woo: O, echt?

Elizabeth: Er staat ook dat de stroom er twee uur af zal zijn.

Jung-woo: Wauw. Ik schat dat we dan ook een romantisch toetje gaan eten!

Elizabeth: Ja, blijkbaar!

POWER OUTAGE

Elizabeth: I think the power just went out.

Jung-woo: Really? I thought you just turned out the lights.

Elizabeth: No. Try turning on the bathroom light.

Jung-woo: It isn't working.

Elizabeth: What about the bedroom light?

Jung-woo: Nope. That's not working either.

Elizabeth: Hmm, okay.

Jung-woo: Oh, I just got a text from the electric company. It says that the power will be out for an hour.

Elizabeth: Ugh, all right. That's not too bad. It's time to light the candles!

Jung-woo: It's good that we have a lot of candles. We can have a romantic dinner!

Elizabeth: Ha ha. Yes we can! Oh, John just texted me. He said the power is out at his house, too.

Jung-woo: Oh, really?

Elizabeth: Yeah. I'm surprised. He lives three miles away!

Jung-woo: I wonder what happened.

Elizabeth: I don't know. But dinner is ready! Let's put a couple more candles on the table so we can see what we're eating.

Jung-woo: Good idea! We don't need any more surprises tonight.

Elizabeth: Oh, I just got a text from the electric company. It says the power outage was caused by balloons touching the power lines.

Jung-woo: Oh really?

Elizabeth: It also says the power will be out for at least two hours.

Jung-woo: Wow. I guess we will have a romantic dessert too!

Elizabeth: Yep, I guess so!

96

HOE VAAK GEBRUIK JIJ SOCIALE MEDIA?

-

HOW OFTEN DO YOU USE SOCIAL MEDIA? (B1)

Martina: Hé Julian.

Julian: Hé Martina!

Martina: Wat ben je aan het doen?

Julian: Gewoon wat door mijn sociale media pagina's aan het scrollen.

Martina: Hoe vaak gebruik jij jouw sociale media?

Julian: O, ik weet het niet. Misschien twee of drie uur per dag? En jij dan?

Martina: Waarschijnlijk ook zoiets.

Julian: Het is zo'n tijdverspilling!

Martina: Vind je? Soms denk ik dat het tijdverspilling is, maar andere keren denk ik dat het heel waardevol is voor mensen.

Julian: Wat bedoel je?

Martina: Nou, ik denk dat sociale media een makkelijke manier is om contact te houden met vrienden en familie, het is een manier om het nieuws te volgen en het geeft ons de mogelijkheid om over andere landen en culturen te leren.

Julian: Ja, daar ik ben het ermee eens dat het ons helpt om met de wereld in contact te blijven en we bijblijven met huidige ontwikkelingen. Maar hoe helpt het ons te leren over andere culturen?

Martina: Ik volg veel reisfotografen en schrijvers uit andere landen, dus ik leer over verschillende plaatsen door hun foto's en onderschriften.

Julian: O, ik snap het. Ja, dat is iets goeds. Ik denk dat sociale media heel veel voordelen hebben, maar ik denk dat het ook schadelijk kan zijn. Veel mensen delen foto's waardoor hun leven er geweldig uit gaat zien, maar niemand heeft een perfect leven. En door die foto's te zien, kunnen mensen zich soms slecht voelen over hun eigen levens.

Martina: Ik ben het daar helemaal mee eens. Sociale media kan mensen zekeronzeker en jaloers maken. Zoals met de meeste dingen, sociale media is goed met mate!

HOW OFTEN DO YOU USE SOCIAL MEDIA?

Martina: Hey, Julian.

Julian: Hey, Martina!

Martina: What are you doing?

Julian: Just scrolling through my social media feeds.

Martina: How often do you use social media?

Julian: Oh, I don't know. Maybe two or three hours a day? What about you?

Martina: Probably about the same.

Julian: It's such a waste of time!

Martina: You think? Sometimes I think it's a waste of time, but other times I think it's really valuable to people.

Julian: What do you mean?

Martina: Well, I think social media is a convenient way to keep in touch with friends and family, it gives us a way to follow the news, and it enables us to learn about other countries and cultures.

Julian: Yeah, I agree that it helps us stay connected with people and make sure we're up-to-date on current events. But how does it help us learn about other cultures?

Martina: I follow a lot of travel photographers and writers from other countries, so I can learn about different places from their photos and captions.

Julian: Oh, I see. Yeah, that's a good thing. I think social media has a lot of benefits, but I think it can also be harmful. Many people post photos that make their lives look amazing, but no one has a perfect life. And seeing those photos can make some people feel bad about their own lives.

Martina: I totally agree with that. Social media can definitely make people insecure and jealous. Like most things, social media is good in moderation!

97

EEN SOLLICITATIEGESPREK VOORBEREIDEN

-

PREPARING FOR A JOB INTERVIEW (B1)

Allie: Ik heb volgende week een sollicitatiegesprek en ik ben zo zenuwachtig!

Nathan: O echt? Waarvoor solliciteer je?

Allie: Het is voor een positie als manager in een kledingwinkel.

Nathan: Oh wauw, manager! Dat is goed voor je. Je hebt al zolang in de kleinverkoop gewerkt, het is zeker tijd voor een volgende stap!

Allie: Ja, dat dacht ik ook. Ik ben klaar voor een nieuwe uitdaging. En een hoger salaris.

Nathan: Haha, dat zou ook fijn zijn! Hoe ben je achter deze baan gekomen?

Allie: Online. Ik heb pas sinds de afgelopen paar weken naar banen zitten zoeken. Ik kwam deze positie vorige week tegen en heb hen mijn C.V. en sollicitatiebrief gestuurd. Twee dagen later kreeg ik reactie.

Nathan: Dat is best snel! Je hebt een indrukwekkend C.V.

Allie: Ah, dankjewel. Ik heb hard gewerkt!

Nathan: Nou, wat denk je dat ze je zullen vragen?

Allie: Waarschijnlijk over mijn werkervaring bij de klantendienst, moeilijkheden die ik daar tegen ben gekomen tijdens het werk en hoe ik daarmee ben omgegaan. Ze zouden me een aantal scenario's kunnen geven waarbij ik moet vertellen wat ik zou doen. Ik heb al die antwoorden al geoefend.

Nathan: Goed bezig. Ik denk dat je het goed gaat doen.

Allie: Ik weet het niet. Ik word heel zenuwachtig bij sollicitatiegesprekken.

Nathan: Dat is normaal. Je moet gewoon in jezelf geloven! Stel jezelf voor dat je de baan al hebt.

Allie: Hèhè, oké. Dat zal ik doen!

Nathan: Laat me weten hoe je sollicitatiegesprek is gegaan!

Allie: Zal ik doen!

PREPARING FOR A JOB INTERVIEW

Allie: I have a job interview next week and I'm so nervous!

Nathan: Oh really? What's the interview for?

Allie: It's for a manager position at a clothing store.

Nathan: Oh wow, manager! Good for you. You've been working in retail for so long; it's definitely time for the next step!

Allie: Yeah, I think so. I'm ready for a new challenge. And a higher salary.

Nathan: Ha ha, that would be nice too! So how did you find out about this job?

Allie: Online. I've only been looking at jobs for a couple weeks. I found this job posting last week and sent them my resume and cover letter. They got back to me two days later.

Nathan: That's pretty quick! You do have an impressive resume.

Allie: Aww, thanks. I've worked hard!

Nathan: So, what do you think they're going to ask you?

Allie: Probably about my experience working in customer service, difficulties I've encountered on the job and how I've overcome them. They may give me a couple scenarios and then have me tell them what I would do. I've been practicing all of those answers.

Nathan: That's good. I think you'll do great.

Allie: I don't know. I get really nervous in interviews.

Nathan: That's normal. You just have to believe in yourself! Imagine that you already have the job.

Allie: He-he, okay. I'll do that!

Nathan: Let me know how the interview goes!

Allie: I will!

98

NAAR DE STOMERIJ

-

TRIP TO THE DRY CLEANERS (B1)

Alice: Goedemorgen. Hoe gaat het?

Shuo wen: Goed hoor. En met u?

Alice: Met mij ook goed.

Shuo wen: Ik wil deze graag afgeven.

Alice: Oké. Zou u uw telefoonnummer kunnen geven, zodat ik uw account in het systeem kan opzoeken?

Shuo wen: Dit is mijn eerste keer hier.

Alice: Ik snap het. Mag ik dan uw telefoonnummer en uw voor- en achternaam?

Shuo wen: Ja. Mijn voornaam is Shuo wen en mijn achternaam is Chen.

Alice: Hoe wordt uw voornaam gespeld?

Shuo wen: "S" van "slang", "h" van "hallo", "u" van "uranus," "o" van "octopus", en dan "w" van "water", "e" van "elektriciteit" en "n" van "Nederland".

Alice: Dankuwel.

Shuo wen: Hier zit een wijnvlek in. Denkt u dat u die eruit kunt krijgen?

Alice: We zullen ons best doen, zoals altijd. Bedankt voor het aanwijzen.

Shuo wen: Gebruikt u sterke chemicaliën in uw stomerij?

Alice: Nee, we zijn er trots op dat we milieuvriendelijk werken hier.

Shuo wen: Is dat waarom u iets duurder bent dan andere plekken?

Alice: Ja, precies. We willen het milieu en de gezondheid van onze klanten beschermen.

Shuo wen: Ik begrijp het. Dat is fijn.

Alice: Hier is uw bonnetje. Deze zullen op vrijdag na één uur klaar zijn.

Shuo wen: Geweldig, dankuwel!

Alice: Bedankt! Fijne dag verder.

TRIP TO THE DRY CLEANERS

Alice: Good morning. How are you?

Shuo wen: I'm good, thanks. How are you?

Alice: I'm good. Thanks for asking.

Shuo wen: I would like to drop these off.

Alice: Okay. Could you tell me your phone number so I can look up your account in our system?

Shuo wen: This is my first time here.

Alice: I see. Can I have your phone number and your first and last name?

Shuo wen: Yes. My first name is Shuo wen and my last name is Chen.

Alice: How do you spell your first name?

Shuo wen: "S" as in "snake," "h" as in "happy," "u" as in "under," "o" as in "octopus," and then "w" as in "water," "e" as in elephant, and "n" as in "Nebraska."

Alice: Thank you.

Shuo wen: There is a wine stain here. Do you think you can get that out?

Alice: We'll try our best, as always. Thank you for pointing that out.

Shuo wen: And do you guys use harsh chemicals at this dry cleaner?

Alice: No, we pride ourselves on being environmentally friendly here.

Shuo wen: Is that why you're a little more expensive than other places?

Alice: Yes, exactly. We want to protect the environment and our customers' health.

Shuo wen: I see. That's good.

Alice: Here is your receipt. These will be ready on Friday after 1 p.m.

Shuo wen: Great, thank you!

Alice: Thanks! Have a nice day.

99

LIEVELINGSWEER

-

FAVORITE KIND OF WEATHER (B1)

Amanda: Het is zo koud!

Robert: Ik vind het heerlijk.

Amanda: Echt? Waar heb je het over? Ik bevries!

Robert: Ik niet. Dit is mijn lievelingsweer.

Amanda: Jij bent gek.

Robert: En jij dan? Jij houdt alleen van snikheet weer.

Amanda: Haha, ik hou van warm weer, maar niet van *snikheet* weer.

Robert: Jij bent zo blij met de zomer, maar voor mij is het ondraaglijk.

Amanda: Je zou naar Siberië moeten verhuizen.

Robert: Dat zou ik heerlijk vinden! Behalve dat het me zou gaan vervelen. En ik spreek geen Russisch.

Amanda: Ja, dat zou een probleem kunnen zijn.

Robert: Jij zou naar Death Valley moeten verhuizen.

Amanda: Waar ligt dat?

Robert: In Californië.

Amanda: Dat klinkt niet als een fijne plek om te wonen.

Robert: Nee, dat niet. Maar het is er heet, dus zou jij het lekker moeten vinden.

Amanda: Toch klinkt het niet erg aantrekkelijk.

Robert: Droge hitte is prima, maar ik kan niet tegen de benauwdheid.

Amanda: Ja, ik kan wel tegen een beetje benauwdheid, maar niet te veel.

Robert: Weet je nog dat we vorig jaar naar Florida gingen? Dat was zo benauwd.

Amanda: Sjonge, ja. Ik heb nog nooit zoiets meegemaakt!

Robert: Inderdaad! Je kon niet meer dan een paar minuten buiten blijven.

Amanda: Precies.

Robert: Nou, ik ben blij dat het pas december is. We hebben nog een paar koude maanden te gaan.

Amanda: Bah, ik kan niet wachten op de lente!

FAVORITE KIND OF WEATHER

Amanda: It's so cold!

Robert: I love it.

Amanda: Really? What are you talking about? It's freezing!

Robert: Not for me. This is my favorite kind of weather.

Amanda: You're weird.

Robert: What about you? You only like scorching weather.

Amanda: Ha ha, I like warm weather but not *scorching* weather.

Robert: You're so happy in the summer, but for me it's unbearable.

Amanda: You should move to Siberia.

Robert: I would love that! Except I'd probably get bored. And I don't speak Russian.

Amanda: Yeah, that might be a problem.

Robert: You should move to Death Valley.

Amanda: Where is that?

Robert: In California.

Amanda: That doesn't sound like a fun place to live.

Robert: No, it doesn't. But it's hot there, so you'd like it.

Amanda: It still doesn't sound very appealing.

Robert: Dry heat is okay, but I can't stand humidity.

Amanda: Yeah, I can handle a little humidity, but not a lot.

Robert: Do you remember when we went to Florida last year? It was so humid.

Amanda: Oh my gosh. I've never experienced anything like that!

Robert: I know! You couldn't even stay outside for more than a few minutes.

Amanda: Exactly.

Robert: Well, I'm glad it's only December. We get a couple more months of cold weather.

Amanda: Ugh, I can't wait for it to be spring!

100

DE WAS DOEN

-

DOING LAUNDRY (B1)

Ajay: We moeten je leren hoe je de was kunt doen voordat je op kamers gaat! Ik kan niet geloven dat je al zeventien bent en nog niet geleerd hebt hoe je fatsoenlijk de was doet.

Nisha: Ik weet wel hoe je de was doet.

Ajay: Ja, maar niet hoe je het goed doet! Je hebt al zoveel kleren vernield!

Nisha: Maar een paar dingen.

Ajay: Juist, en een paar van *mijn* dingen! Herinner je je mijn shirt dat wit de wasmachine in ging en er roze uitkwam?

Nisha: Roze zag er ook goed uit!

Ajay: Ik wilde geen roze shirt!

Nisha: Oké. Sorry daarvoor.

Ajay: Het geeft niet. Ik ben over dat trauma heen. Maar ik wil niet dat je nog meer kleren vernielt als je op kamers bent.

Nisha: Ik ook niet. Vooruit, dus wanneer is mijn wasles?

Ajay: Heb je nu tijd?

Nisha: Natuurlijk.

Ajay: Oké. Dus je sorteert eerst de donkere en de lichte kleren.

Nisha: Wat is "licht" en wat is "donker"?

Ajay: Lichte kleuren zijn wit, beige, grijs, lichtblauw ... en dat soort dingen. Donkere kleren zijn zwart, bruin, donkergrijs en felle kleuren.

Nisha: Ik begrijp het. Hoe heet moet het water zijn?

Ajay: Voor donkere kleren raad ik koud water aan. Voor lichte kleuren, kun je warm of heet water gebruiken.

Nisha: En hoelang moet ik ze wassen?

Ajay: Nou, eerst moet je de temperatuur van het water kiezen en deze knop indrukken. Daarna kies je het wasprogramma. Ik doe meestal "normaal." Dan druk je op de "startknop". Zo makkelijk is het.

Nisha: O, dat is makkelijk. Ik denk dat ik dat wel kan.

Ajay: Ik denk dat je het ook wel kunt! Als je gaat studeren, kun je je eigen kleren wassen!

Nisha: Haha. Bedankt voor je vertrouwen, pa!

DOING LAUNDRY

Ajay: We need to teach you how to do laundry before you go away to college! I can't believe you're already seventeen and you haven't learned how to do laundry properly.

Nisha: I know how to do laundry.

Ajay: Yes, but not well! You've ruined so many clothes!

Nisha: Only a few things.

Ajay: Yeah, a few of *my* things! Remember my shirt that went into the washing machine white and came out pink?

Nisha: It looked good pink!

Ajay: I didn't want a pink shirt!

Nisha: Okay. I'm sorry about that.

Ajay: It's fine. I've recovered from that trauma. But I don't want you to ruin any more clothes in college.

Nisha: Me neither. All right, so when is our laundry lesson?

Ajay: Do you have some time now?

Nisha: Sure.

Ajay: Okay. So, first you need to separate the dark clothes from the light clothes.

Nisha: What is "light" and what is "dark"?

Ajay: Light colors are white, beige, grey, light blue... things like that. Dark clothes are black, brown, dark grey, and bright colors.

Nisha: I see. How hot should the water be?

Ajay: For dark clothes, I recommend cold water. For light colors, you can use warm or hot water.

Nisha: And how long do I wash them for?

Ajay: Well, first you choose the water temperature and push this button. Then you choose the type of wash. I usually go with "regular." Then you push the "start" button. It's that easy.

Nisha: Oh, that is easy. I think I can do that.

Ajay: I think you can too! If you get into college, you can wash your own clothes!

Nisha: Ha ha. Thanks for believing in me, Dad!

101

THANKSGIVING AFGELOPEN JAAR
-
LAST YEAR'S THANKSGIVING (B1)

Caitlin: Hé Grant. Wat doe jij dit jaar met Thanksgiving?

Grant: Ik ga op bezoek bij mijn neef. Mijn ouders, grootouders, oom en tante, en drie van mijn neven komen ook.

Caitlin: O, wauw! Dat wordt een grote groep.

Grant: Ja inderdaad! Wat doe jij met Thanksgiving?

Caitlin: Ik moet werken met Thanksgiving! Ik baal echt!

Grant: Ach nee! Dat is verschrikkelijk!

Caitlin: Ja, dat is een van de nadelen als je in de horeca werkt. Maar ik krijg er meer voor betaald, dus dat is fijn.

Grant: Dat maakt wel wat goed, denk ik. Wat doe je normaal gesproken met Thanksgiving?

Caitlin: Wij gaan normaal gezien naar mijn ouders en dineren daar.

Grant: Wat eten jullie dan normaal gesproken?

Caitlin: Kalkoen met vulling en pompoentaart, al het standaardeten voor Thanksgiving. Het smaakt altijd heerlijk. We hebben best een aantal goede koks in mijn familie.

Grant: O, geweldig!

Caitlin: Ja. Ik heb vorig jaar erg lekkere aardappelpuree gemaakt. Ik was zo trots op mezelf! Ik ben namelijk geen goede kok.

Grant: Ik ook niet! Maar ik hou wel van eten.

Caitlin: Ik ook! Mijn familie doet altijd kaartspellen samen. Het is een soort Thanksgivingtraditie voor ons. Vorig jaar hebben we na het eten drie uur lang gespeeld!

Grant: O wauw! Het verbaast me dat jullie na het eten niet in slaap zijn gevallen! Ik zak altijd weg na het eten met Thanksgiving.

Caitlin: Inderdaad. Dat verbaast me ook! We zaten zo in het spel!

Grant: Ah, dat is cool. Nou, ik hoop dat je volgend jaar weer Thanksgiving met je familie door kunt brengen.

Caitlin: Dat hoop ik ook.

LAST YEAR'S THANKSGIVING

Caitlin: Hey, Grant. What are you doing for Thanksgiving this year?

Grant: I'm going to my cousin's house. My parents, grandparents, my aunt and uncle, and three of my cousins will be there.

Caitlin: Oh, wow! That's a pretty big gathering.

Grant: Yeah it is! What are you doing for Thanksgiving?

Caitlin: I have to work on Thanksgiving! I'm so bummed!

Grant: Oh no! That's terrible!

Caitlin: Yeah, that's one of the downsides of working in the restaurant industry. But I get paid more, so that's good.

Grant: That kind of makes up for it, I guess. What do you usually do for Thanksgiving?

Caitlin: We usually go to my parents' house and have dinner.

Grant: What do you guys usually eat?

Caitlin: Turkey and stuffing and pumpkin pie—all the usual Thanksgiving food. It's always delicious; we have a lot of great cooks in my family.

Grant: Oh, awesome!

Caitlin: Yeah. I made some pretty good mashed potatoes last year; I was proud of myself! I'm not a good cook.

Grant: Me neither! I love to eat, though.

Caitlin: Me too! My family always plays cards together too. It's kind of a Thanksgiving tradition for us. Last year we played for three hours after dinner!

Grant: Oh wow! I'm surprised you guys didn't fall asleep after dinner! I always pass out after dinner on Thanksgiving.

Caitlin: I know. I'm surprised too! We were so into the game!

Grant: Aww, that's cool. Well, I hope you can spend Thanksgiving with your family next year.

Caitlin: I do too.

102

IK VOEL ME NIET LEKKER

-

NOT FEELING WELL (B1)

Elina: Hé Gerry. Ik denk dat ik vandaag thuis blijf. Ik voel me niet lekker.

Gerry: Och, nee! Wat is er aan de hand?

Elina: Ik heb hoofdpijn en ik voel me duizelig. Ik denk dat ik over ga geven.

Gerry: Komt het door het eten? Je zou voedselvergiftiging kunnen hebben.

Elina: Ik weet het niet. Ik heb een omelet op bij het ontbijt, pizza met het middageten en steak als avondeten.

Gerry: Dat klinkt niet als iets abnormaals. Wat heb je gisteren gedaan?

Elina: Nou, ik ben naar het strand geweest, omdat het zo'n mooie dag was en ik wilde zonnen.

Gerry: Misschien ben je te lang in de zon geweest.

Elina: Maar ik was maar een uurtje buiten.

Gerry: Heb je water gedronken?

Elina: Niet echt.

Gerry: De hele dag geen water?

Elina: Nee ...

Gerry: Dan ben je waarschijnlijk uitgedroogd.

Elina: Denk je?

Gerry: Misschien. Als je de hele dag geen water drinkt en je een uur in de zon zit, kun je uitdrogen.

Elina: Wat moet ik dan doen?

Gerry: Binnen blijven en water drinken!

Elina: Oké.

NOT FEELING WELL

Elina: Hey, Gerry. I think I'm going to stay home today. I'm not feeling well.

Gerry: Oh, no! What's wrong?

Elina: I have a headache and I feel dizzy. I think I might throw up.

Gerry: Was it something you ate? You might have food poisoning.

Elina: I don't know. I had an omelet for breakfast, pizza for lunch, and a steak for dinner.

Gerry: That doesn't seem like anything unusual. What did you do yesterday?

Elina: Well, I went to the beach because it was such a nice day and I wanted to soak up some sun.

Gerry: Maybe you stayed out in the sun too long.

Elina: But I was only outside for an hour.

Gerry: Did you drink any water?

Elina: Not really.

Gerry: No water all day?

Elina: No...

Gerry: You're probably dehydrated.

Elina: You think?

Gerry: Maybe. If you don't drink water all day and then you stay in the sun for an hour, you can get dehydrated.

Elina: What should I do?

Gerry: Stay inside and drink water!

Elina: Okay.

103

SNOWBOARDEN

-

SNOWBOARDING TRIP (B1)

Samantha: Nou, Johnny, ben je klaar voor je eerste keer de berg af?

Johnny: Weet je, ik weet niet of dit een goed idee is.

Samantha: Het komt wel goed!

Johnny: Dit is dus net als surfen, maar in plaats van golven is het op sneeuw, toch?

Samantha: Niet helemaal. Er zijn wel een paar hele belangrijke dingen die je eerst moet weten.

Johnny: Dat vertel je me nu?

Samantha: Ik vertel het je tenminste!

Johnny: Oké, wat zijn dan die paar hele belangrijke dingen die ik moet weten?

Samantha: Eerst moet je herinneren dat je voeten vastzitten aan je board.

Johnny: Juist. Dat is overduidelijk. Ik kan niet over het board lopen om te sturen.

Samantha: Ik ben blij dat je dat begrijpt.

Johnny: Wat is het volgende?

Samantha: Je kunt niet echt sturen met de voorkant van je board. Dan kiep je om en rol je zeker weten de berg af. Dat zou niet zo grappig zijn.

Johnny: Nee, dat is niet grappig!

Samantha: In plaats daarvan leid je met je schouders en gebruik je de achterkant van je board om te draaien.

Johnny: Oké. Verder nog iets?

Samantha: Nee! Tijd om te gaan!

Johnny: Oké. Zal ik eerst gaan?

Samantha: Prima! Ik weet dat je de route niet helemaal kent, maar volg gewoon de bordjes, dan komt het wel goed. Ik kom meteen achter je aan.

Johnny: Okido, daar gaan we!

SNOWBOARDING TRIP

Samantha: So, Johnny, are you ready for your first ride down the mountain?

Johnny: You know, I'm not so sure this is a good idea.

Samantha: You'll be fine!

Johnny: So, this is just like surfing but instead of waves, it's on snow, right?

Samantha: Not quite. There are a few really important things you need to know first.

Johnny: You're telling me this now?

Samantha: At least I'm telling you!

Johnny: Okay, so what are these few really important things I need to know?

Samantha: First, you have to remember that your feet are connected to your board.

Johnny: Right. That's obvious. I can't walk the board to steer.

Samantha: I'm glad you understand.

Johnny: What's the next thing?

Samantha: You can't really steer with the front of your board. You'll catch an edge and surely tumble down the mountain. That wouldn't be very fun.

Johnny: No, it would not!

Samantha: Instead, lead with your shoulders and use the back end of your board to turn.

Johnny: Okay. Anything else?

Samantha: Nope! Time to go!

Johnny: All right. Should I go first?

Samantha: Sure! I know you don't really know the course yet, but just follow the signs and you should be fine. I will be right behind you.

Johnny: All right, here we go!

104

HET HUIS SCHILDEREN

-

PAINTING THE HOUSE (B1)

Clark: Welke kleur zullen we de woonkamer verven?

Valentina: Ik denk dat we iets lichts en interessants moeten doen, groen bijvoorbeeld.

Clark: Groen? Wat voor een tint groen?

Valentina: Limoengroen misschien?

Clark: Limoengroen?! Ik kan bijvoorbeeld saliegroen of mosgroen aan. Maar ik weet niet of ik dat met limoengroen kan. Wat denk je van een soort grijs?

Valentina: Grijs? Dat klinkt depressief.

Clark: Grijs is erg schoon en modern. Kijk, ik zal je wat plaatjes laten zien.

Valentina: Hmm … dat ziet er toch niet al te slecht uit. Wat denk je van een grijsblauwe kleur?

Clark: Dat zou kunnen werken.

Valentina: Kijk eens naar dit plaatje. Zoiets als dit.

Clark: Ja, dat lijkt me wel wat.

Valentina: Echt?

Clark: Ja.

Valentina: Wauw, zijn we het erover eens?

Clark: Ik denk het wel! Oké, dus we hebben een besluit genomen over de kleur verf. We hebben ook wat gereedschap nodig.

Valentina: Ja, dat klopt. We hebben een verfroller en verfbakken en een aantal kwasten nodig. En wat schilderstape.

Clark: We hebben ook een ladder nodig, toch?

Valentina: Ja, Adam leent ons zijn ladder.

Clark: O, oké. Perfect.

Valentina: Ik hoop dat deze kamer er goed uit gaat zien!

Clark: Ik ook. Wat nou als we de hele kamer schilderen en we het dan niet mooi vinden?

Valentina: Ik denk dat we dat risico maar moeten nemen.

Clark: Juist. Zullen we naar de winkel gaan en de spullen halen?

Valentina: Uiteraard!

PAINTING THE HOUSE

Clark: What color should we paint the living room?

Valentina: I think we should paint it something bright and interesting, like green.

Clark: Green? What shade of green?

Valentina: Maybe a lime green?

Clark: Lime?! I could handle a sage green or a moss green. But I don't know about lime. What about some kind of grey?

Valentina: Grey? That sounds depressing.

Clark: Grey looks really clean and modern. Here, I'll show you pictures.

Valentina: Hmm… that doesn't look that bad. What about a greyish-blue color?

Clark: That might work.

Valentina: Look at this picture. Something like this.

Clark: Yeah, I kind of like that.

Valentina: Really?

Clark: Yeah.

Valentina: Wow, do we agree on this?

Clark: I think so! All right, so we've decided on the paint color. We need to buy some supplies too.

Valentina: Yes, we do. We need a paint roller and trays and a couple brushes. And some painter's tape.

Clark: We need a ladder too, right?

Valentina: Yeah, Adam is lending us his ladder.

Clark: Oh, okay. Perfect.

Valentina: I hope the room will look good!

Clark: Me too. What if we paint the whole room and then we don't like it?

Valentina: I guess that's a risk we have to take.

Clark: Yep. Want to go to the store and get the supplies?

Valentina: Sure!

105

EEN PRACHTIGE ZONSONDERGANG

-

A BEAUTIFUL SUNSET (B1)

Susana: Laten we vandaag gaan wandelen. Het is zo'n mooie dag en we hebben de hele dag al binnen opgesloten gezeten.

Paul: Goed idee. We zouden naar de kliffen bij Blackson Beach kunnen gaan. Dan kunnen we daar de zonsondergang bekijken.

Susana: Oké! Maar dan moeten we wel snel gaan. De zon gaat over vijfenveertig minuten onder.

Paul: Oké, dan gaan we!

(Onderweg …)

Susana: Nou, wat is de mooiste zonsondergang die je ooit gezien hebt?

Paul: Hmm … ik heb een paar prachtige zonsondergangen gezien in Thailand.

Susana: Serieus? Waarom waren ze zo mooi?

Paul: Er waren daar zoveel mooie kleuren in de lucht: oranje, roze, paars, en natuurlijk is alles mooier als je in Thailand op het strand zit!

Susana: Ja, dat geloof ik graag. Ik hoop dat ik een keer naar Thailand kan gaan!

Paul: Ik wil ook graag nog een keer terug. Er waren zoveel mooie plekken en de mensen waren zo aardig. En, niet te vergeten, het eten was geweldig. En zo goedkoop!

Susana: Ik ga geld sparen.

Paul: Haha, oké!

Susana: We zijn er! We hebben het op tijd gehaald! De zon gaat over tien minuten onder. Zullen we een mooi plekje zoeken om ernaar te kijken?

Paul: Wat denk je van die steen daar?

Susana: O ja, kom op.

Paul: Wauw, dit is zo mooi.

Susana: Net zo mooi als in Thailand?

Paul: Bijna! Het was een goed idee, Susana. Dit zouden we vaker moeten doen.

Susana: Mee eens. Laten we minimaal één keer per maand hierheen gaan om naar de zonsondergang te kijken!

Paul: Oké!

A BEAUTIFUL SUNSET

Susana: Let's go for a walk today. It's such a beautiful day and we've been cooped up inside all day.

Paul: Good idea. We should go to the cliffs at Blackson Beach. We can catch the sunset there.

Susana: Okay! But we should leave soon. The sun is going to set in forty minutes.

Paul: Okay, let's go!

(On the way...)

Susana: So, what's the most beautiful sunset you've ever seen?

Paul: Hmm... I saw some really beautiful sunsets in Thailand.

Susana: Oh really? Why were they beautiful?

Paul: There were so many amazing colors in the sky—orange, pink, purple—and of course everything is a lot more beautiful when you're on a beach in Thailand!

Susana: Yeah, I bet. I hope I can go to Thailand someday!

Paul: I really want to go back. There were so many beautiful places and the people were so nice. And, of course, the food was amazing. And so cheap!

Susana: I'm going to start saving money.

Paul: Haha, okay!

Susana: We're here! We made it in time! The sun is going to set in ten minutes. Let's find a good spot to watch it.

Paul: What about that rock over there?

Susana: Oh, yes, let's go.

Paul: Wow, it's so beautiful.

Susana: As beautiful as Thailand?

Paul: Almost! This was a good idea, Susana. We should do this more often.

Susana: I agree. Let's come here to watch the sunset at least once a month!

Paul: Okay!

CONCLUSION

What a ride, huh? One hundred and five conversations in Dutch, written for your learning and improvement of your grasp of the language! We hope that they've served to help give you a better understanding of conversational Dutch and to provide you with a massive amount of learning material that most professors *won't* be providing you anytime soon!

We have one last round of tips for you, reader, now that you're done with the book and may suddenly be wondering what comes next:

1. **Study!** Nobody learns a new language overnight, and just skimming through this book once won't be enough for you to acquire the tools you've looked for. Re-read it, understand it and finally dominate it, and only then will you be truly learning.
2. **Rehearse!** Find a partner and rehearse or recreate the conversations that you see here. It'll work for your pronunciation and shake that shyness you may have!
3. **Create!** Take these conversations and make your own for other situations! There's always something you can produce on your own, and it'll help you improve your grasp of the tongue!
4. **Don't give up!** Giving up is for losers. Keep working and make your effort worth it. Results will come, trust us!

So, there we have it, readers, we've finally reached the end. We hope you enjoyed the book and continue to come back for more. We're certainly working hard to produce more books for you to improve your Dutch. Take care and see you soon!

Good luck and don't quit! Success is always just a few steps away!

Thanks for reading!

MORE BOOKS BY LINGO MASTERY

Have you been trying to learn Dutch and simply can't find the way to expand your vocabulary?

Do your teachers recommend you boring textbooks and complicated stories that you don't really understand?

Are you looking for a way to learn the language quicker without taking shortcuts?

If you answered *"Yes!"* to at least one of those previous questions, then this book is for you! We've compiled the **2000 Most Common Words in Dutch,** a list of terms that will expand your vocabulary to levels previously unseen.

Did you know that — according to an important study — learning the top two thousand (2000) most frequently used words will enable you to understand up to **84%** of all non-fiction and **86.1%** of fiction literature and **92.7%** of oral speech? Those are *amazing* stats, and this book will take you even further than those numbers!

In this book:

- A detailed introduction with tips and tricks on how to improve your learning
- A list of **2000** of the most common words in Dutch and their translations

- An example sentence for each word – in both Dutch *and* English
- Finally, a conclusion to make sure you've learned and supply you with a final list of tips

Don't look any further, we've got what you need right here!

In fact, we're ready to turn you into a Dutch speaker... are you ready to become one?

Do you know what the hardest thing for a Dutch learner is?

Finding *PROPER* reading material that they can handle...which is precisely the reason we've written this book!

Teachers love giving out tough, expert-level literature to their students. Books that present many new problems to the reader and force them to search for words in a dictionary every five minutes — it's not entertaining, useful or motivating for the student at all, and many soon give up on learning at all!

In this book, we have compiled 20 easy-to-read, compelling and fun stories that will allow you to expand your vocabulary and give you the tools to improve your grasp of the beautiful Dutch tongue.

How **Dutch Short Stories for Beginners** works:

- Each story is exciting and entertaining with realistic dialogues and day-to-day situations.
- The summaries follow a synopsis in Dutch and in English of what you just read, both to review the lesson and for you to see if you understood what the tale was about.
- At the end of those summaries, you'll be provided with a list of the most relevant vocabulary involved in the lesson, as well as slang and sayings that you may not have understood at first glance!
- Finally, you'll be provided with a set of tricky questions in Dutch, providing you with the chance to prove that you learned something in the story. Don't worry if you don't know the answer to any — we will

provide them immediately after, but no cheating!

We want you to feel comfortable while learning the tongue; after all, no language should be a barrier for you to travel around the world and expand your social circles!

So look no further! Pick up your copy of **Dutch Short Stories for Beginners** and start learning Dutch *right now*!

Printed in Great Britain
by Amazon

56302666R00190